CW00825973

CINCO PANES DE CEBADA

LUCÍA BAQUEDANO

Primera edición: marzo de 1981
Cuadragésima sexta edición: septiembre de 2013

Dirección editorial: Elsa Aguiar
Imagen de cubierta: Yolanda Álvarez

Impresores, 2
Urbanización Prado del Espino
28660 Boadilla del Monte (Madrid)
www.grupo-sm.com

ATENCIÓN AL CLIENTE
Tel.: 902 121 323
Fax: 902 241 222
e-mail: clientes@grupo-sm.com

ISBN: 978-84-348-0875-1
Depósito legal: M-42114-20010
Impreso en la UE / *Printed in EU*

A Marta, Adriana, María, Blanca,
Ana, Belén, Lucía, María,
Elisa, Itziar y Clara

1

TENIA entonces sólo veintiún años, y por eso quizá me sentí tan decepcionada cuando supe que mi destino era un pueblo.

Yo siempre había soñado con una escuela tan diferente... La veía moderna, bien instalada, alegre... Pero la vida es así.

—Ni siquiera viene el nombre del pueblo en la Enciclopedia. Debe de ser una birria —dijo mi hermana Sylvia, dejando así mi moral por los suelos.

Mi madre, como siempre, me animó.

—El sitio es lo de menos. Lo importante es que te sientas a gusto, y que la gente te quiera... Para ser feliz, ¿que más da que el lugar sea grande o chico?

Pero yo pensaba de muy diferente manera. Creía que para mandarme a un sitio así, no era necesario que me hicieran un examen tan duro, ni aquel curioso test, que dio como resultado que yo me encontraba plenamente capacitada para dirigir una escuela de ciento setenta niños.

Si tan bien lo hice todo que incluso merecí la felicitación del tribunal, ¿por qué ahora me daban una escuela en un pueblo tan pequeño? ¿Cuántos alumnos tendría? ¿Tal vez nueve?

Debí hacer estas reflexiones en voz alta, porque Sylvia se rió.

—El trabajo te dejará agotada, pero no te preocupes. A ti siempre te ha gustado escribir y los ratos libres puedes dedicarlos a eso. Sería buenísimo que salieras de casa como maestra rural y volvieras con un premio literario bajo el brazo, ¿no te parece?

Pero yo no estaba para bromas. El pueblecito aquel se me había atragantado, y estaba segura de que iba a ser algo horrible.

Lo noté en cuanto llegué a la estación y localicé el autobús rojo y azul, sin duda contemporáneo de Godoy, lleno de viajeros, y con el techo repleto de cestas, escobas, un cochecito de bebé, enormes fardos de plantas, un colchón y montones de cajas de cartón atadas con cuerdas.

Pregunté a una mujer si aquél era el coche que iba a Beirechea, con la esperanza de que me dijera que no, pero me contestó afirmativamente, en un intervalo de su discusión con el cobrador que pretendía subirle a la baca una enorme maleta atada con cuerda de esparto, a la que ella se aferraba como si en ello le fuera la vida.

—Que sí, Perico... Que te digo que sí... —decía, creyéndose graciosísima y haciendo señas a su robusto chiquillo, que se había sentado cómodamente con los pies en el otro asiento, para que le ayudara a colocar debajo la preciosa maleta.

Me quedé en pie en aquel pasillo horrendo y esperé resignada a que el autobús se pusiera en marcha, si es que aún andaba aquel trasto... Y anduvo, claro. Yo soy así de desgraciada.

Y me despedí entonces de mi agradable vida de chica de ciudad. Lo último que vi de ella fue la sonrisa de mi madre, que agitaba la mano, y sus ojos llenos de lágrimas. Sentí un nudo en la garganta y apreté los puños con fuerza.

Muy cerca de mí, la dueña de la maleta explicaba a todo el que quisiera escucharla que no dejaba nunca el equipaje arriba porque sabía de una a la que, por confiada, le habían robado un abrigo que valía buenos duros.

El autobús trotaba ya entre una alarmante nube de humo. Una mujer que llevaba una cesta con dos gallinas me dijo que me sentara y me ofreció un pedazo de asiento en el que sólo cabía una pierna.

Fue un consuelo para mi soledad, y se lo agradecí mucho, quedando así aprisionada entre la cesta y una chica de mi edad, bastante mona, pero que tenía pinta de empezar a marearse.

En el asiento delantero un chico, con la frente llena de mercromina, gritaba desesperadamente para que su madre le diera no sé qué que llevaba en el bolso, y un niño de meses completó el cuadro haciéndose pis. ¡Pues vaya un balance!

El autobús, más que rodar, brincaba, y yo procuraba encogerme por no aterrizar encima de las gallinas o sobre la chica, que debía de estar ya fatal, la pobre.

¡Uf, y qué calor tan sofocante! Entre una cosa y otra, yo estaba hecha polvo.

Cada vez que veía un pueblo bonito, deseaba que fuera el mío, pero no tuve suerte. El autobús paraba, sí, pero siempre era para recoger a más viajeros que entraban como podían, quedándose de pie por el estrecho pasillo.

—¿Así que sube usted hacia Beirechea? —dijo la de las gallinas, después de contar por tercera vez el dinero que llevaba en el monedero.

—Sí, señora —contesté con una voz tan triste que el mismo Herodes se hubiera enternecido.

Uno de los chicos que iba de pie me lanzó una

mirada curiosa, que abarcaba toda mi anatomía, y yo noté que me ponía colorada como un tomate, y que mi frente y mis manos estaban húmedas.

Otro pueblo... Otro... Otro...

El calor era cada vez mayor, y yo ya no podía parar. Lo curioso es que nadie se quejaba. Aquella gente aceptaba todas aquellas incomodidades con extraña filosofía...

¿O es que eran sólo figuraciones mías?

Ofrecí mi fragmento de asiento a una mujer que subió con un niño en brazos, y yo quedé instalada entre una cesta de dos tapas y las barras metálicas que separan el asiento del conductor.

¿Cuándo llegaríamos?

Sentí horror, porque por primera vez en la vida me estaba mareando en aquel puerto de cerradas curvas, y cuanto más lo pensaba peor me iba sintiendo, y más fuerte me atacaba la antipatía por aquel odioso pueblo...

El señor de la derecha tenía una mano vendada y olía a sala de espera de hospital... ¡Huy, qué malísima estaba!

—¿Qué ha sido, pues, Alfonso? —gritó un anciano que sólo tenía un ojo.

¿Se puede pedir mayor pesadilla para un solo viaje?

—Un desvío de la sierra —suspiró el de la venda, lanzándome una bocanada que apestaba a vino y ajo.

Cerré los ojos y me tambaleé.

—¿Se marea, eh? —me dijo con simpatía un hombre de la primera fila, levantando los ojos de su periódico, pero sin hacer siquiera ademán de ofrecerme asiento.

—¡Cuide usted, que me va a aplastar la fruta! —exclamó con resentimiento la dueña de la cesta, que se iba incrustando por momentos en mis costillas.

—¡Perdón! —grité desesperada y próxima a darme un ataque de nervios. Me agarré muy fuerte a las barras niqueladas, y cerré los ojos, deseando con toda mi alma morirme cuanto antes.

Comprendía que la cosa no era para tanto. Incluso me sorprendió a mí misma mi desesperación, porque siempre he sido una persona serena. Pero entonces, no sé por qué, tenía ganas de gritar o de pegar a alguien... Me parecía que me había metido en un manicomio. Toda aquella gente que me rodeaba tenía que estar loca por tener tan buen humor, yendo a un sitio como debía de ser aquél. Sentí como una niebla a mi alrededor, y sólo oía confusamente la cháchara de los viajeros.

—El chico de la Serapia, que dice que deja el seminario. ¡Estará bueno el padre! Figúrate, que el año que viene tenía ya las primeras órdenes.

—¿Yo con Marcos? ¡Tú estás loco! Habrás entendido mal... Pues mira que a mí gustarme Marcos... ¡A buena hora!

—El hijo entra ahora en quintas, y la chica, que tiene diecinueve, va a casarse a Leiza el año que viene.

—No dejes de bajar mañana, Félix. Te digo que esas ovejas te convienen.

—¿Pero no decía usted que iba a Beirechea? —dijo una voz a mi lado.

Abrí los ojos sobresaltada. Era la mujer de las dos gallinas, que ahora se reía sin ningún disimulo.

Todos los viajeros se habían apeado, y el verme

allí sola me hizo sentirme la más pueblerina de todos.

Bajé dando traspiés. Nunca en la vida me había sentido tan desgraciada. La mujer de la maleta azul coronó mi día incrustándomela en la cintura al pasar. No lloré sólo porque me daba vergüenza.

Miré a mi alrededor desorientada. Todos mis compañeros de viaje iban desapareciendo por caminos y atajos, bien cargados con sus cestos, y allí sólo quedaba yo, junto a la cuneta de la carretera, sin saber qué hacer. Comenzaba a oscurecer.

Un hombre venía hacia mí, y no sé por qué, pero estuve tentada de echar a correr. Era altísimo y desgarbado, pero visto de cerca no tenía nada de amenazador, así que interiormente me sentí muy aliviada. Decidí pedirle que me indicara el camino del pueblo.

—¿Ha venido usted en el auto de Pamplona? —me preguntó.

—Sí. Sí señor.

—¿Y no sabe usted casualmente si en el auto venía la maestra?

—Yo soy la maestra —dije como en un sueño.

SI, YO era la maestra, y estaba ahora aquí, mientras mis amigas paseaban o estaban en el cine.

—Pero... ¿usted es la maestra? ¿La maestra que viene para Beirechea?

—Sí.

—¡Pues parece usted muy joven para ser la maestra! Bueno... ¡Qué le vamos a hacer...! Yo soy Pello, el amo de la casa donde vivirá usted.

—Mucho gusto —dije, tendiéndole la mano y tratando de olvidar aquel *¡Qué le vamos a hacer!* Hubiera dado cualquier cosa por poder volverme a casa.

Miró mi mano un momento, y al fin se decidió a estrecharla con la misma prevención con que tocaría un cartucho de dinamita.

—Bueno —dijo tímidamente—, pues ya está usted en Beirechea. Cuando guste, vamos para casa.

Cogí la maleta, porque Pello no hizo un gesto de ayudarme. Después de todo, como ni siquiera se había quitado la boina para saludarme, tampoco lo esperaba.

Daba unos pasos kilométricos, así que, como ya he dicho mil veces, cada vez me sentía más cansada, cargada con la maleta y el bolso. Lo único que deseaba era despertar si estaba soñando, o morir si estaba despierta.

¡A buen lugar he venido a parar!, pensaba angustiada, mirando un grupo de casas que parecían estar lejísimos. Lo primero que tendré que hacer es enseñar educación a los niños, porque es evidente que no la recibirán de sus padres... de unos padres que son incapaces de sentir compasión para ceder su sitio a una chica mareada, o de llevarle la maleta hasta el pueblo.

Sin embargo, Pello no parecía darse cuenta de mi estado de ánimo, y seguía tragando leguas con aquellas piernas tan largas. No hablaba nada, por supuesto.

Al fin llegamos al pueblo, donde sólo vi un par de chiquillos curiosos, que me miraban encaramados a la tapia de una huerta. Cuando les sonreí, corrieron a esconderse dentro de la casa.

Paramos ante un edificio parecido a un gallinero ruinoso. Sólo tenía una planta, y su aspecto era tristón.

—Ahí está la escuela —dijo mi guía.

—¿La... La escue...la? —contesté con voz tan débil que yo misma me di pena.

Pero Pello no lo advirtió. No le importaba nada lo que a mí pudiera pasarme. En mi vida he tropezado con mayor falta de sensibilidad. Lo único que se le había ocurrido había sido llevarme a la escuela ante todo. Se ve que le pareció lo más adecuado para mi condición de maestra.

Estaba en un llano, y la primera impresión que recibí al entrar en ella no la olvidaré jamás. En el centro mismo de la clase había dos hermosos ratones que comían algo afanosamente.

—¡Así es que se lo comen! ¡Se lo comen y nada! —exclamó Pello con desconsuelo—. Mi mujer ha puesto azúcar envenenado, pero se ve que les gusta, y no los mata.

Cerré los ojos, y para evitar un ataque de histeria apreté los puños. Ni siquiera quise preguntar si había muchos ratones en la escuela.

Fue en ese mismo momento cuando decidí estar allí únicamente un curso, pedir la excedencia y aguardar un destino mejor. Todavía dudaba si sería capaz de resistir allí nueve meses. Seguramente sería superior a mis ya escasas fuerzas.

Lancé una rápida ojeada a la clase y quedé desolada. Las paredes eran del más triste y descolorido color azul, y la bombilla, demasiado pequeña, quedaba aprisionada dentro de una bola de cristal, también azul, dando una tonalidad mortecina.

El techo era todo un poema de huellas de goteras. Empecé a imaginar una escuela poblada de niños azules y amenizada la lección por el clic, cloc del agua de la lluvia en el suelo.

Hubiera gritado de buena gana.

¡Y para traerme aquí me habían hecho un test de cuatrocientas sesenta y cinco preguntas!

La mesa de la maestra, sobre una tarima que crujía al pisar, era lo más decente de la clase, aunque con un exagerado brillo por el enorme derroche de cera aplicada a toda su superficie. Encima había un tintero de cristal cuadrado y grandote y dos manguillos con plumillas, instrumentos que yo no había visto desde mi niñez y que, naturalmente, ya había olvidado hasta cómo eran. Mira por dónde, resulta que en Beirechea todavía existían... En un ángulo, una hermosa esfera terrestre salpicada de tinta y con gran profusión de huellas dactilares.

Cerré los ojos para que no se me notara que los tenía llenos de lágrimas.

—¡Bueno! Pues ya ha visto usted la escuela —dijo Pello alegremente, levantando del suelo una silla que tenía una pata atada con una cuerda.

—Sí. Ya la he visto —contesté, saliendo más que deprisa de aquel antro.

Y otra vez volví a seguir a aquel hombre, que andaba tan deprisa. Menos mal que llegamos en seguida.

Si no hubiese sido por mi terrible depresión, hubiera sabido apreciar mejor aquella casa, que iba a ser mi hogar a partir de aquel momento. Era grande, grata, acogedora, con las esquinas y ventanas bordeadas de piedra gris, y allá en lo alto, un balcón de gruesos barrotes de madera, lleno de macetas con flores. Unas hojas verdes llenas de racimos de moscatel se aferraban a las paredes. Me parece que sentí que me gustaba.

—¡Hala! ¡Que ya tenemos aquí a la señorita maestra! —gritó Pello al entrar.

Casi al momento se abrió la puerta de la cocina y apareció una ancianita en el umbral. Tenía el pelo blanco como la nieve y abría los brazos en señal de bienvenida.

Siempre que recuerdo mi llegada a aquella casa, la veo como si estuviera frente a mí, en aquella entrada escasamente iluminada, destacando en la penumbra su cabello blanco, como si fuera un gigantesco merengue.

Tras ella iba la esposa de Pello con un niño en brazos, que escondió presuroso la cara en el hombro materno en cuanto traté de hacerle una caricia.

Entramos en la gran cocina, donde competían en abundancia el humo y las moscas. De buena gana hubiera pedido que me llevaran a mi habitación, pero no me atreví.

Sin preguntarme si me apetecía o no, me pusieron delante una taza de chocolate, que tampoco me atreví a rechazar. Todavía siento náuseas al recordarlo.

Sin poder vencer mi tristeza, comí todo lo que quisieron.

Era tan grande mi desgana, que ni siquiera traté de sonreír a aquella niña que parecía tan simpática. Era rubia, con saludables colores en las mejillas, la hija mayor de mis patronos, y ella misma me condujo al dormitorio. Con mejor voluntad que su padre, intentó subir la maleta, pero como pesaba mucho, lo hizo su madre. Ella tuvo que contentarse con el bolso.

El cuarto, aunque amueblado un poco a lo rey sargento, me hizo muy buena impresión. Lo miré con buenos ojos.

La cama, de hierro, era muy alta y tenía puesta una magnífica colcha de ganchillo. El espejo del antiguo lavabo era tan borroso que apenas reflejaba mi imagen... Menos mal que yo entonces no estaba de humor para presumir. Se veía también que lo habían blanqueado recientemente, porque olía a pintura e insecticida. Esto último se había derrochado a manos llenas. No quedaba una sola mosca.

Puse la maleta sobre la cama y la abrí. Comencé a colgar la ropa en el armario sin ninguna ilusión.

Total... no sé ni para qué saco mis cosas... Si consigo quedarme hasta Navidad, me consideraré una heroína.

Salí al balcón, que resultó ser precisamente el de las macetas. Esto me hizo pensar en que quizá era la mejor habitación de la casa. El hecho de que me la hubieran dado a mí me avergonzó. Empecé a conmoverme.

Una moto se acercaba rápida. Se fue haciendo más visible y paró junto a la casa. Era un hombre vestido de oscuro, con su casco protector y todo, que, dejando la moto en la puerta, entró en la casa.

Cuando volví a la habitación, oí su voz justamente debajo de mí. Hablaba con los dueños de la casa, y como el suelo era de madera y los techos carecían de cielo raso, se oía perfectamente la conversación.

—Descuide usted, señora Isabel —decía el de la moto—. Me arreglaré perfectamente. Lo único importante, que es la ropa y la comida, usted me lo seguirá haciendo, como hasta ahora.

—Que me hace duelo que se tenga usted que ir —contestó Pello—. No sé... Parece como si lo despacháramos.

—¡Quite usted, por Dios: no exageremos! ¡Cualquiera diría que me voy...! Sólo dormiré en mi casa, y no le den más vueltas. Lo esencial es que ya tenemos maestra, ¿no?

—Sí... Pero mire que es... Siendo tantos en el pueblo, que nadie la quiera tener en su casa...

—¡Déjelo, hombre...! Todo el mundo tiene sus problemas, y después de todo, no tiene tanta importancia. Ya está esto solucionado. Y bueno..., ¿cómo es la chica? ¿Les ha hecho buena impresión?

MIRÉ mi habitación desolada. Acababa de comprender que aquel hombre, quien quiera que fuese, la había ocupado anteriormente. Que ningún vecino del pueblo me había querido tener hospedada en su casa. Y que él se había marchado de allí para dejarme su sitio.

—¡Eso! ¡Encima mal recibida! —suspiré llena de una enorme lástima hacia mí misma—. ¿Eh? ¿Y ahora qué estarán diciendo de mí?

—Muy joven, una chiquilla —decía la mujer—, pero parece buena chica.

—Dice bien ésta en lo de joven, y además bastante "esmirriada"... No sé, no sé cómo llevará la escuela.

¡Valiente escuela! —exclamé en alta voz, despechada—. Estamos a finales de septiembre... Tendré que sufrir tres meses... ¿Por qué se me ocurriría a mí hacer magisterio, con lo bien que ganan ahora las callistas? ¡Y además, sin necesidad de venir a trabajar a sitios como éste!

Unos golpecitos en la puerta me volvieron a la realidad.

Era la niña de las trenzas rubias, que me dijo, muy sonriente, que podía bajar a cenar.

La sola idea de bajar, de cenar, de enfrentarme con aquella gente y con aquel pueblo me ponía enferma, pero no dije que no. Tenía que demostrarles desde ahora que no era una niña, que valía mucho, que era una excelente maestra cargada de sobresalientes, matrículas y felicitaciones, que había respondido correctamente a un test dificilísimo y que estaba capacitada para dirigir competentemente una escuela de ciento setenta y seis niños. ¡Vaya que sí!

Me cambié de ropa a toda prisa. Me vestí falda y blusa negra, me recogí el pelo en austero moño, y aún regresé a la habitación cuando estaba ya en la escalera para calzarme zapatos de tacones altos.

Mi imagen a través del espejo me hubiera hecho lanzar una buena carcajada. Estaba hecha una birria, y más bien parecía una niña vestida con la ropa de su madre que una simple maestra, que es lo que yo era. Pero, desgraciadamente, aquel espejo era una nulidad como tal.

Me estaban esperando ya sentados a la mesa, y me sentí avergonzada de ello. El hombre de la moto se presentó como el cura del pueblo, y después de estrecharme la mano, se encaró conmigo.

No parecía guardarme el menor rencor por haberlo echado de su cuarto. Pero, lo que son las cosas, tampoco me cayó bien.

Y es que claro, ¿por qué se tenía que reír de mí?

Ya empezó por burlarse de mi nombre. Dijo que a ver de dónde lo había sacado, porque él no lo había oído nunca.

—Seguramente habrá multitud de cosas que usted no ha oído nunca —contesté con acritud. Se me estaban pegando ya los modos del pueblo, no había duda.

Para cuando sacaron el queso, ya le tenía una rabia terrible.

—Vamos a ver qué nos cuenta ahora nuestra maestra —seguía machacón, mirándome con su cara de topo, y segurísimo de hacer gracia—. Es que a mí me encanta hablar con chicas de la capital, para ver cómo piensan.

Pero la chica de la capital no estaba dispuesta a hacer el indio para complacerle. Procuré, no obstante, que no se me notara la tirria que ya le tenía. Al fin y al cabo, como diría mamá, era un ministro del Señor.

Me fui a la cama completamente aturdida. Aquella familia con la que ahora tenía que vivir era tan diferente de la mía... No teníamos nada en común.

Apoyé mi frente calenturienta en el cristal del balcón y traté de atravesar con mis ojos la oscuridad.

Nada... No se veía nada. Unicamente una luz lejana, que parecía hacerme burla, y el ladrido de un perro.

¡Dios mío! —suspiré—. ¿Es posible que aquí se pueda vivir toda una vida? En esta oscuridad, en este silencio... ¡Si es casi inhumano!

Me tapé la cara con la sábana. Me sentía muy sola.

La puerta se abrió suavemente y alguien se acercó a mi cama.

—Traigo el agua para el lavabo.

En la oscuridad apenas se veía una sombra, pero el cabello blanco de Mikaela me pareció como la luna serena en la noche.

—Verás lo bien que estarás con nosotros —me dijo cariñosa.

Fue la primera cosa dulce que me dijeron allí. Agradecida, me senté en la cama y alargué impulsivamente mis brazos alrededor de su cuello. Mi mejilla rozó su encorvado hombro.

De repente, me sentía mucho mejor.

—Sí... Estoy segura. Buenas noches... Buenas noches, abuela.

2

LO MEJOR de Beirechea eran las campanas.

Pese a mis temores, había pasado buena noche. Dormí de un tirón, y solamente me desperté cuando las campanas llamaban a misa.

¡Y qué bonito era! Era tan dulce, tan agradable aquel lento talán, talán, talán, que no sabría describirlo. Era tan sencillo y tan simple, que me conmovió.

Salté de la cama y abrí el balcón.

Pero ¡cómo! ¿Era aquel el mismo pueblo del día anterior? Ahora me parecía mucho más bonito. Los montes, que la víspera se me antojaron amenazadores, eran ahora de un color verde-azul bellísimo. Las casas grises y tristes me mostraban ahora sus balcones llenos de tiestos con flores de todos los colores. Las huertas bien cuidadas, llenas de lozanas verduras. Y muchos, muchos árboles cargados de peras y manzanas. Más lejos, los otros campos me hicieron sonreír avergonzada.

¿Por qué yo ayer tenía miedo de ellos en la oscuridad de la noche?

Hoy lo encontraba todo tan bonito, con su color otoñal...

Dejando a un lado lo que el día anterior había tomado por atuendo de mujer fatal, y que sólo había servido para que la abuela me preguntara si estaba de luto, me vestí sin preocuparme de parecer más o menos respetable. ¡Al diablo las tonterías! Me quedaría sólo un mes en el pueblo, pero en ese mes demostraría lo que era capaz de hacer con mis muchos o pocos años y mi "esmirriado" aspecto, frase que, por cierto, me había llegado al alma.

Lo demostraría al pueblo, a la escuela, a la gente, y sobre todo al cura. ¡Sí señor!

Subí a la iglesia acompañada de la hija de Pello. Su madre había ido a misa más temprano al pueblo vecino, y ahora se quedaba en casa con los pequeños.

La parroquia era preciosa. Seguramente, la joya del pueblo. Me gustó y me hizo sentirme a gusto. El cura, vestido ahora con casulla verde, parecía un cura totalmente normal, y a pesar de que seguía usando sus gruesas gafas de aros redondos, me sorprendí de haberle encontrado aspecto de topo.

El mismo me presentó a la salida de misa a un grupo de madres del pueblo que, ofreciéndome sus casas, me hicieron olvidar momentáneamente mi decepción del día anterior cuando supe que todas habían puesto excusas para no tenerme de huésped. Estaba un poco desconcertada, pensativa.

La que mejor me cayó fue Isabel, la mujer de Pello. Parecía comprensiva y tenía mucho interés por la escuela. Seguramente sería debido a que tenía dos niñas en edad escolar, otros dos más pequeños, y esperaba otro hijo para diciembre. Sin decir ni hacer nada de particular, me causó mejor impresión que su marido y su cuñado.

El café con leche y el pan de pueblo me reconfortó mucho. Pello estaba muy tratable, el hermano menos huraño, y el cura no tan chistoso.

No me prestaron mucha atención, y yo me alegré porque, como soy bastante tímida, me parece terrible que me miren mucho cuando aún no hay suficiente confianza.

Hablaban entre ellos de siembras y de cosas del campo, de las que yo no entiendo nada.

Después de comer, todos se fueron a dormir la siesta, una de las costumbres de Beirechea que nunca llegué a adoptar. Yo me fui sola nuevamente a la escuela.

Tenía la esperanza de que, al igual que todo cuanto me rodeaba, hubiera tomado un aspecto más risueño. Pero me equivoqué. Seguían sus huellas de humedad en el techo, su cajita de cartón con veneno para los ratones en el centro de la clase, sus bancos desvencijados y su general abandono. Volví a sentirme tan desalentada como el día anterior. Hasta el pueblo, visto a través de los sucios cristales, parecía triste.

—Si yo tuviera una escuela corriente, estoy segura de que todo lo demás no tendría importancia. Sería capaz de olvidar el ambiente del pueblo y la hipocresía de todas las mujeres que aquella mañana me ofrecían su casa tan hospitalariamente, tras haberse negado a tenerme alojada para siempre.

Pero la escuela estaba allí, era una realidad que no podía eludir, y dentro de unos días sería mi lugar de trabajo, como una parte de mí misma, porque allí pasaría casi todas mis horas.

No sé cuánto tiempo estuve sentada frente a aquella mesa rebosante de cera. Debió de ser mucho, porque a mi regreso a la casa ya todos se habían levantado. Pello estaba en la puerta, y me sorprendió mucho que dijera que quería hablarme de algunas cosas.

Pues sí. Me puso en antecedentes sobre el carácter de todas y cada una de las personas del pueblo, "para que no me dejara engañar". La mayoría eran "gente de mucho cuidado". Me avisó de que debía tener mucho ojo con las hijas de Iparraguirre porque, en cuanto empezaba la temporada de trabajo en el campo, faltaban a la escuela y decían que estaban enfermas.

—"Esta" sí, ya se preocupa más por las nuestras.

La abuela me llamó a la cocina tan pronto como me dejó su hijo. Sólo quería decirme que tomara con mucho empeño a sus nietas, para enseñarles muchas labores; porque le gustaría mucho que salieran buenas modistas.

—Sobre todo la pequeña. A la mayor parece que le gustan más los libros y además tiene muy bonita letra. Bueno, yo no entiendo de estas cosas, pero "Esta" sí, y tiene mucho empeño en que estudien, y así, así, a ver si pueden llegar a maestras.

Tardé poco en darme cuenta de que la llamada "Esta" era Isabel. Dentro de su aparente brusquedad, me pareció entrañable. Era una forma sencilla de hacerla centro de la casa.

La abuela se interesó también mucho por mi familia. Quiso saber qué era mi padre y a qué se dedicaban mis hermanos. Si todos gozábamos de buena salud, y si mi madre no vendría alguna vez al pueblo para conocerla. Si en Pamplona se vestía con mucho lujo, si teníamos lavadoras y lavaplatos, y si era verdad que en las ciudades había ahora "tantísima maldad".

Me confesó que hacía ya más de veinte años que no había salido del pueblo, porque en llegando a viejo, nada mejor para estar tranquilos que la aldea.

También el cura me abordó. Quería saber si había visto ya la escuela, y qué me había parecido.

—¿Qué quiere que le diga? Está fatal. La vi anoche y me pareció una ruina. Hoy, a la luz del día, todavía se le ven mejor los agujeros.

Si pudiera pintarse... —pensé esperanzada.

Y decidí de pronto que mi primera visita como maestra sería al alcalde del pueblo. Después de todo, la escuela era estatal y, por tanto, cosa suya.

Pero ¡qué alcaldía la de Beirechea!

Intenté convencer al alcalde para que pintaran la clase de crema o amarillo. Pero había tropezado con un hombre de mollera cerrada, como nunca lo había visto. Me hizo perder una tarde entera, para decirme:

Que "solamente" hacía diecisiete años que se había pintado. Que se eligió entonces aquel color azul por ser bonito y sufrido. Que los chicos manchan mucho. Que él creía que nuestra escuela era de las mejorcicas del Valle, y que podía pasar muy bien unos cuantos años más sin repintarse, teniendo en cuenta además que sólo se usaba en invierno, por lo que durante el verano no se estropeaba nada.

Y a fin de cuentas, ¿los chicos iban a aprender más si se pintaba la escuela?

Traté de convencerle de que verdaderamente diecisiete años es mucho tiempo y que no era ningún lujo pensar en darle una manita de pintura. Que además si, como él decía, las goteras ya estaban arregladas, duraría mucho. Que si el color azul es sufrido y bonito, aquella especie de añil de la escuela era como para cansar la vista de cualquiera, y que un color clarito daría mucha más luz. Que precisamente porque los niños manchan, no se puede pretender que la pintura dure toda la vida, y que aunque se aprenda lo mismo, siempre es más grato estudiar en un lugar limpio.

Fue inútil. Terminó diciéndome que lo que ocurría es que el ayuntamiento no disponía de fondos, porque acababa de construirse un nuevo depósito de agua en el monte, con sus correspondientes tuberías, y todavía se estaba esperando la ayuda de la Diputación.

—¿Y por qué no me lo ha dicho en cuanto he venido, en vez de hacerme perder la tarde con tanto rodeo? —le dije indignada.

Salí desilusionada de allí y me fui a la escuela. Empecé a limpiar con furia los suelos y los cristales, porque no sabía a quién pedir ayuda.

Volví a casa del alcalde al anochecer para que me diera una lista de todos los niños en edad escolar. Quería organizar pronto mi trabajo, y para ello necesitaba saber las diferentes edades de mis alumnos, ya que suponía iba a tenerlos desde preescolar hasta los primeros cursos de bachillerato.

Pues bien, me salió el buen hombre con lo siguiente: Que tenía todos los papeles guardados en el arca, y que le venía muy mal sacarlos aquella semana porque estaba metiendo las hierbas, y eso le daba mucho que hacer. Que ninguna maestra la había necesitado hasta el presente, y que además él no sabía cómo hacerla. No comprendía por qué me preocupaba tanto de si los chicos eran mayores o pequeños, ni de si pintaban o no la escuela de uno u otro color. Ninguna de las anteriores maestras de Beirechea había ido con tantos "humos".

—¡Seguramente por eso les han durado tanto! —grité con rabia, recordando que Beirechea en dos años había tenido siete maestras, y sólo una de ellas había estado el curso entero.

Volví a casa ardiendo de coraje, cansancio y desilusión, y me senté de mala gana en el banco de la entrada.

¿Es que es normal esto? —me preguntaba—. Me parece que sacar el padrón del pueblo y copiar en un papel a todos los niños en edad escolar no es tan difícil... ¿Cómo voy a saber yo si todos los críos van a la escuela si no me dan una lista?

—¿Qué te pasa, Muriel? —me preguntó don José Mari, el cura, entrando. Yo estaba muy afanosa mordiéndome las uñas.

—¡Oh, nada de particular! —suspiré—. Estaba pensando en el señor alcalde (recalqué mucho lo del señor alcalde). Se encuentra el hombre muy ocupado almacenando sus hierbas, y por eso no puede darme una lista de los escolares, debido a que tiene los papeles bien guardados en su arca y no puede sacarlos. Hemos pasado la tarde entera discutiendo amigablemente sobre las ventajas y desventajas de una escuela pintada de amarillo claro y de las deudas del municipio... Pero la escuela sigue hecha un asco y no sé por dónde empezar a limpiarla... Nadie me ayuda... ¿Cree usted que así se puede trabajar?

—¿Y por qué no? —me contestó. Y se quedó tan ancho.

Hice un gesto de disgusto.

—No te enfades, chica. Con mala cara no podrás solucionar nada, y además me parece que no te va nada bien.

Estuve tentada de volverle la espalda.

—Usted no me comprende.

—¡Qué fatalidad! Me lo estaba imaginando. Los curas somos tan poco comprensivos...

—No quiero decir eso, sino que usted no puede comprender lo que es venir a trabajar a un pueblo como éste, donde una se siente tan sola... La gente parece ser invisible. Voy de casa a la escuela o a cualquier parte, y no veo un ser humano. Y, sin embargo, estoy convencida de que a mí sí que me ven, pero nadie me habla ni me ofrece ayuda... No sé si consigo expresarme bien, pero a mí me gustaría que la gente sintiera la misma ilusión que yo, que se interesaran por mis proyectos... ¡Pero todos son tan raros...! Cuando llegué, pensé que todos habían llegado al colmo de la mala educación. Después, tratando a la familia de esta casa, veo que no es eso, que se trata sólo de timidez... no sé, quizá cuando pase un poco más de tiempo también podré darle otro nombre a esta falta de espíritu de colaboración en una cosa que va a ir en beneficio de todos. ¿Se ríe usted de mí?

—No, hija; no me río. Al contrario, porque todo lo que me dices me parece muy serio. Es cierto que has venido a parar a un lugar de gente cerrada, tímida, como tú me dices. Ya sé que para ti, una chica joven, poco acostumbrada a los pueblos, sería mucho más sencillo que todos fuéramos abiertos, comunicativos, animadores, ¿verdad? Pero no trates nunca de comprender a los hombres, Muriel. Amalos. Y cuando hayas aprendido a quererlos, verás como nada te importa no comprenderlos.

—Pero es que eso es muy difícil. ¿Cómo voy a querer a quien no se deja, a quien sólo pone pegas a mi trabajo?

—Vamos, vamos... ¿No te parece que exageras un poco? ¿Todo el mundo pone pegas a tu trabajo, porque el alcalde del pueblo, un buen hombre, seguramente porque le avergüenza que tú veas su mala letra, no te ha hecho una lista de los mocetes? ¿Quién más se ha negado a ayudarte?

Bajé la cabeza avergonzada. Tenía razón, y eso me hizo sentirme humillada.

—Es verdad, pero —dije sibilinamente, con la peor intención del mundo—, ¿por qué se ha ido usted de esta casa? ¿No lo ha hecho porque nadie quería tener a la maestra como huésped? ¿No fue usted quien convenció a Pello para que ellos me acogieran, porque de lo contrario se quedaban sin maestra? Yo tengo un lugar aquí, pero usted vive solo, en la vieja casa de la iglesia.

¡Le había vencido! ¡Ahora fue él quien bajó la cabeza!

Pero era más fuerte que yo. Se rehízo en seguida.

—No, mujer... Pero ¿qué estás diciendo? Yo necesitaba una mayor independencia. Tengo el despacho parroquial arriba, y me resulta más cómodo tener también allí mi habitación, ¿comprendes? Desgraciadamente, no puedo hacerme también cargo de la cocina. Como cocinero soy un desastre.

—Ya —contesté haciendo como que me lo creía. Estaba arrepentida de lo que había dicho.

—Pero volviendo a ti y a tus problemas, ten serenidad y, sobre todo, paciencia. No lo eches todo a rodar en seguida. Piensa que todo esto, que ahora te parece sólo maleza, va a florecer, que estas almas son verdaderamente grandes aunque estén encubiertas por esa rudeza que hoy tanto te duele. Te aseguro que no es mala voluntad, sino más bien algo parecido a fuerza de costumbre.

—¡Fuerza de costumbre! Hasta ahora sólo he tropezado con ella. Siempre la he respetado, se lo aseguro, pero me maravilla que una escuela tenga que seguir pintada (y digo pintada porque algo tengo que decir) de azul a perpetuidad, solamente porque así la pintaron nuestros padres, y que a mí no me den una lista de escolares porque hasta hoy no la ha pedido ninguna otra maestra.

Don José Mari me miraba divertido.

—Tal vez es que tengo un excesivo afán innovador —añadí—. Pero si es así, ¿por qué me mandaron precisamente a Beirechea, donde no para una maestra ni tres meses? ¿Para que yo con mis "humos", como acaba de decirme el alcalde, no dure más de uno?

—¿Y por qué no te paras a pensar en que, precisamente por ser como eres, ha querido Dios traerte con nosotros?

Aquello sí. Aquel "nosotros" fue lo que movió todas mis fibras sensibles. Me venció totalmente. Don José Mari no era de Beirechea. Había llegado hacía pocos años, y al decir "nosotros" me hizo comprender que se había convertido ya en uno de ellos.

No me dijo que él, como sacerdote, había tropezado con muchísimos obstáculos, muchos más que la confección de una mezquina lista de escolares. No me habló de sus dificultades. Ni siquiera lo mencionó para darme un consuelo o una esperanza. Me sentí avergonzada, presumida e infantil.

—Yo confío en ti. En el poco tiempo que hace que te conozco, te he observado mucho. Creo que eres una chica inteligente.

—Por favor, no se ría usted de mí.

—Convéncete de una vez de que yo no me río de nadie. Eres inteligente, y sé que podrás vencer estas cosas, que en el fondo son sólo pequeñeces. Deja que pase el tiempo, y te reirás de tu angustia de ahora.

Cuando se despidió me dijo "hija mía", y yo me fui a la cama con otra ilusión. Me pareció que no estaba tan sola, que tenía alguien en quien confiar y con quien hablar, y recordé todo lo que me había dicho.

"No trates de comprender a los hombres. Amalos."

"¿No te has parado nunca a pensar en que, precisamente por ser como eres, te ha traído Dios con nosotros?"

Dios... ¿Por qué yo nunca pensaba en El?

Y el caso es que yo era una chica buena. Pero ¿había puesto a Dios en mi vida, como centro, como razón de todo mi ser? No. Curiosamente, nunca me había parado a pensar en que Dios era una realidad. En que existía, en que me quería, en que quizá esperaba mucho de mí en aquella profesión que yo había elegido. Tal vez en Beirechea había un niño que me necesitaba. Precisamente a mí, no a otra maestra. No sé cómo ni para qué, pero sería un niño a quien yo podía servir. Dios me había enviado a su lado y yo, ¡tonta de mí!, sin darme ni cuenta...

¡Dios mío! ¿He dicho que yo era una chica *buena?* En todo caso, y tratándome con indulgencia, debía decir *buenaza.*

EMPECE a trabajar con entusiasmo. Además, una chica de mi edad se presentó un día en la escuela:

—¡Hola! —me dijo—. Soy Ana Mari Goñi. He venido por si puedo ayudarte a limpiar todo esto. Me ha dicho don José Mari que andas un poco agobiada.

La recibí como al Mesías. Nos armamos de escobas, bayetas y valor, y limpiamos el techo y las paredes de telarañas. Enjabonamos suelos y ventanas, cambiamos de lugar mesas y sillas, y por la tarde, con una buena provisión de clavos y un martillo que nos trajo un hermano de Ana Mari, arreglamos un sinfín de cosas.

Pusimos una bombilla más grande (naturalmente, con fondos de la maestra, porque ¡cualquiera acudía ahora al alcalde, sabiendo lo de la deuda municipal!) y una pantalla muy alegre, que confeccioné forrando de tela una vieja papelera de alambre. Porque, naturalmente, aquella espantosa bola de cristal azul no paró en el techo un momento. Le había cogido tirria en cuanto la vi. En cambio, mira por dónde, resultó un cacharro para poner flores, moderno y sugestivo a más no poder. Claro que no sé si el alcalde estaría muy de acuerdo con la maestra, pero yo no fui a pedirle permiso. En casa el asunto les hizo mucha gracia, y Pello y Tomás lo contaron por todo el pueblo.

Confieso que durante unos días hasta esperé que me echaran de Beirechea por haberme permitido hacer tan grandes innovaciones en la escuela que así les habían legado sus padres o, mejor dicho, sus abuelos. Pero, no sé si con alegría o tristeza por mi parte, ni me expulsaron ni nadie me dijo nada.

Y llegó mi primer día de clase. Creo que estaba emocionada cuando, con mis libros bajo el brazo y la llave en la mano, salí de casa. Y también nerviosa. Mucho más que cuando mi madre me llevó por primera vez al colegio.

Los *escolanos,* como los llaman aquí, llegaron puntuales y también nerviosos: aunque no sé por qué, porque bien acostumbrados estaban los pobres al cambio de maestras.

En seguida se sintieron como en su casa. Admiraron muy contentos aquellas pobres innovaciones, y quedaron encantados con las láminas de animales que puse tapando las manchas de las paredes, y que había encontrado guardadas en el armario. Nunca comprendí por qué estaban tan escondidas, si era lo único que merecía la pena del patrimonio escolar.

Eran vientitrés niños en total, y todo transcurrió bien. Los agrupé según sus edades para poder organizar el trabajo.

Tal como había profetizado Pello, faltaban las dos mayores de Iparraguirre. Su hermanita me dijo que tenían mucho dolor de muelas. A los ocho días, aquellos dolores de muelas me parecieron muy sospechosos y decidí ir a su casa. Claro, que ni llegué allí. Las encontré cogiendo patatas en un campo bien cerca de la escuela, pero su padre estaba con ellas, y no pareció importarle nada.

También faltaba una niña de siete años, llamada Marta Arive, pero los niños me aseguraron que jamás había ido a la escuela y que ni siquiera la conocían. Pero, sin embargo, allí estaba su nombre, en la lista que me llevó a casa el alcalde, al día siguiente de mi visita.

También el cura me había confeccionado otra con arreglo al registro de la iglesia, pero aunque se lo agradecí, me quedé con la de Isaías, el alcalde. Aquella letra algo temblona y de aspecto infantil decía mucho de su rudeza y buena voluntad, y todavía la conservo.

¡BUENO, bueno! Aquí tenemos a nuestra maestra —saludó don José Mari, cuando regresé a casa a comer.

Llegaba cansada, con un hambre espantosa, y contenta.

—Nos va a dejar sin nada —les dijo bromista a los hombres, cuando me servía los garbanzos, procurando que yo lo oyera.

—¿Muchos éxitos en tu primer día de trabajo?

—Todos. Me parece que me he metido a los chicos en el bolsillo sin esforzarme demasiado. Dos chavales de cinco y seis años me han pedido ya que me case con ellos. ¿Qué le parece?

—Claro, claro, todo son éxitos. Pero ¿qué me dices de los otros chicos, de los grandes? No me negarás que los de este pueblo son más majos que los de otros sitios. Y buenos chicos, además.

—De ésos no tengo nada que decir. Se los ha debido de tragar a todos la tierra.

—Oye, pues incluso hay uno soltero, y que tiene un puñado de acciones en la Papelera: ¿no es verdad, Pello? ¿Eh, Tomás?

Los dos hermanos asintieron, y sin dejar de trasegar el bacalao, rieron socarronamente, con mucha malicia. Se daban significativos codazos y me miraban de reojo, por lo que deduje que el acaudalado accionista tendría tantos años como acciones.

—No, gracias. No me gustan calvos —dije cortésmente.

Se echaron a reír. No sé por qué, pero todo lo que yo decía les hacía mucha gracia. Sobre todo, mi ignorancia en lo relacionado con el campo. Recuerdo lo que me avergozaron sus carcajadas el día que me ofrecí a traerle de la huerta a la abuela unos puerros, y cogí cebollas. Para mí que las hojas, que es lo que sobresale de la tierra, eran iguales. Pero no: mira por dónde.

Y no digamos nada cuando se dieron cuenta del pavor que me daban las vacas... y de que me iba de la cocina siempre que Isabel entraba con un pollo cabeza abajo, agarrado por las patas, dispuesta, a pesar de su cara de buena, a cortarle de un tajo la cabeza sin que le temblara la mano ni nada.

3

LLEVABA ya mes y medio en Beirechea cuando recordé que mi idea había sido la de quedarme sólo un mes y marcharme a mi casa. Pero no sé qué fue lo que hizo que olvidara mi propósito. Quizá fue lo rápido que pasó el tiempo.

"Pues ya, total, me quedaré hasta Navidad", me dije con cierta resignación.

Y comenzaron a pasar los días sin asomo de tristeza, sin aquellos accesos de mal humor. En mí iba naciendo poco a poco algo parecido a la ilusión. La verdad es que estaba cambiando.

Un día me pareció que tenía mejor color, y que hasta estaba más guapa, aunque esté mal decirlo una misma, porque además la verdad es que en Beirechea nunca me piropeó nadie.

Pero, como ya he dicho, el cambio más profundo lo experimenté dentro de mí. Había comenzado a pensar seriamente en Dios. En aquel Dios que me amaba y quería que yo también amara, y empecé a volcar mi ternura en aquellos niños que había puesto en mis manos, armándome de paciencia para enseñarles. Porque es triste, pero la mayoría de ellos no ponía en las clases el menor interés. No veían la necesidad y la maravilla del saber, y a mí me daba pena. Aceptaban la escuela como un lugar adonde hay que ir cuando se es pequeño, y del que se libera al empezar a ser útil en casa. Los había hasta que pensaban que allí se iba para no molestar en casa y que la madre pudiera trabajar.

Pero ¿qué iban a pensar los pobres, si en la mayoría de las casas del pueblo había un padre o un abuelo casi analfabeto, cuyo mayor orgullo estaba en decir que él no había aprendido de "cuentas" y, sin embargo, nunca nadie le había engañado?

Y no digamos nada de los que ya eran mayores y podían ayudar en las labores del campo. Las tareas escolares que debían hacer en casa eran siempre dejadas para el final de la jornada, como un lujo, como un descanso. Primero había que recoger del prado y llevar al corral las ovejas, marchar en bicicleta al otro pueblo para llevar la leche o el queso al hotel, o tal vez ayudar al padre, al tío o al abuelo a sembrar. Y cuando ya todo esto se terminaba, cuando el niño quedaba libre, ¿con qué espíritu podía coger los libros? Se encontraba cansado, con más ganas de marcharse a la cama que estudiar los cabos de España. Pensaba más en el madrugón que le esperaba a la mañana siguiente para llevar las ovejas al campo y recoger los huevos antes de ir a la escuela, que en aquel Fernando el Católico que se casó con una tal Isabel y vencieron a los moros. Ese matrimonio no le interesaba lo más mínimo, porque esos señores hacía ya muchísimos años que se habían muerto, y no les iban a comprar las manzanas que aquel año sobraban en casa, ni a cambiar huevos por mantequilla, como quería la madre.

¿Qué podía hacer yo para que Juanita Jorajuría comprendiera que aunque "total, para luego quedarse en el pueblo", era necesario aprender, que la cultura le serviría para hacer mejor cualquier cosa, cualquier trabajo que tuviera que realizar en la vida?

—Pues no veo que para ordeñar las vacas sea necesario saber eso de los sujetos y los predicados —me contestó tranquilamente.

—No sé qué hacer —le dije un día al cura. Había ido a la huerta con Tomás a coger unos tomates y lo encontramos allí leyendo—. Creo que tiene que haber algo que los conmueva, que los haga despertar. Me parece que la mayoría de ellos son listos. A la hora de hacer diabluras lo demuestran muy bien. Pero no tienen ninguna ilusión por aprender. No se interesan, y lo que aún me entristece más es que son los mayores los que parecen más escépticos. Tienen en su vida un solo horizonte: saben que a la larga sólo les espera el trabajo del campo, y me dicen que para layar y segar no hace ninguna falta la gramática. Algunos días salgo de la escuela tan desesperada que pienso si no tienen razón.

Pensé que el cura no me había escuchado, porque en lugar de animarme o de lanzarme un buen rapapolvo, como en otras ocasiones, miró a su alrededor y me contestó:

—Fíjate, Muriel, qué paz se disfruta aquí. ¿No te parece el sitio ideal para leer o rezar?

—Sí... —contesté desorientada.

—Ante una belleza así es cuando más a gusto se le llama a Dios *Creador del Cielo y de la Tierra,* ¿no crees?

También en eso estaba de acuerdo con él y, como él, miré ante mí. La tercera obra de la creación se me mostraba en todo su esplendor. Los montes se elevaban orgullosos sobre los prados, bien poblados de pinos y abetos, de toda clase de arbustos, de nogales... Destacaban sobre todo al recibir el reflejo del crepúsculo. El cielo había perdido ya ese color azul de los días de sol, se había oscurecido, pero algunos jirones de nubes rojizas flotaban en él, dando la impresión de ser un archipiélago de fuego.

¿Y aquellos árboles altísimos y estrechos que crecían a la orilla del río, que se movían murmurando entre sí extrañas canciones, coreando el alegre chapoteo del agua al sortear las piedras y los matojos?

Pero don José Mari no me hizo fijar la atención en ninguna de esas cosas tan bonitas. Tuvo que señalarme un campo de la derecha, terroso, sin árboles, sin flores, sin maleza, que parecía recientemente removido.

—¿Ves ese campo, Muriel? Parece mucho menos atractivo que los otros. Ahí no se puede pasear, y mucho menos me sentaría o me tumbaría en él para leer un rato. Casi parece que afea el paisaje. Y, sin embargo, está preparado para la siembra. Esa tierra desnuda, árida, sólo está esperando que una mano amorosa se abra sobre ella y deje caer en esos surcos una semilla; y que luego sepa esperar.

La comparación me pareció bonita, y debí de poner una cara muy alegre, porque también él sonrió.

—Tú también tienes que hacerlo. Roturar, abonar, sembrar; y después, esperar. Si la tierra es preparada y cuidada con esmero, todas las semillas germinan y dan fruto. Pero no olvides que se siembra casi en las albores del invierno, y se cosecha en verano.

Decidí yo también esperar, meditando dentro de mí, procurando estudiar a mis niños, para saber qué podía yo sembrar en aquellas cabezas que, ajenas a mis preocupaciones, recitaban cantarinamente tablas de multiplicar a la vez que elegían el ángulo más favorable para que las bolitas de papel que iban fabricando se encaminaran certeramente a la oreja izquierda del chico que se sentaba dos bancos más adelante.

Fue en aquellos días cuando aprendí a andar en bicicleta.

Me gusta ahora dar grandes paseos. Y todo gracias a Tomás, que se empeñó en enseñarme cuando dije que no sabía. ¡Y cómo se reía él! Sobre todo en las primeras lecciones, cuando a mí me daba miedo. Tanto que, sin dejar de pedalear, gritaba:

—¡Tomás, Tomás! ¡No suelte el sillín, que me descalabro!

ERA UN hombre que creía que las maestras lo sabíamos todo. Excepto andar en bicicleta, claro. Si yo hubiera sido ingeniero de caminos y licenciada en exactas, no me hubiera admirado tanto. Me fue imposible hacerle comprender que la carrera de magisterio es una de las más sencillas y que todas las chicas pueden hacerla.

—Sí, bah; pero... —era todo su comentario.

Pero, siguiendo con lo de la bicicleta, le cogí tal gusto que escribí a casa una melosa carta, diciendo que, debido a que tenía que ir muchas veces a caseríos alejados del pueblo para hablar con los padres de mis *escolanos,* me vendría muy bien una bicicleta.

"Claro —añadía hecha una hipócrita— que en todos los sitios hay que contar con hacer algunos sacrificios, así que no os apenéis por mí, que, como comprenderéis, sólo os cuento estas cosas porque a alguien tengo que hacer partícipe de mis pesares de maestrita remona y aplicada."

Firmaba con una rúbrica graciosísima, e ilustraba la carta con el dibujo de una Muriel desgarbada y jadeante, andando por una carretera en la que se veían unos indicadores de kilómetros con los números siete y ocho. Y luego, debajo, unos patines tachados con una cruz y una interrogación solitaria.

Me pareció que eso era suficiente para ablandar el tierno corazón de Elena, que tenía una bici negra y nuevecita, ligera cono una pluma, y que jamás usaba.

Cerré la carta en su sobre, y se la di al hijo del alcalde, que, por cierto, era el propietario de la bici en la que aprendí a andar, para que la echase al correo.

Después me puse a corregir ejercicios y a preparar la clase del día siguiente, sin el menor remordimiento.

Y tampoco lo sentí cuando llegó en la baca del autobús unos días más tarde la bici de mi hermana, junto con un camisón de franela, una caja de jaboncillos y un libro.

La verdad es que, como ya las moscas nos iban abandonando y la escuela me absorbía mucho, yo lo empezaba a pasar bastante bien. Los niños me querían, y tenía la impresión de que también los mayores me iban aceptando; aunque fui duramente criticada por vestir pantalones y por ir a misa sin medias, y violentamente regañada por Iparraguirre padre, que me encontró, navaja en mano, talando sus avellanos.

Yo sólo quería hacer unos arcos para los chicos de la escuela. ¿Cómo iba a saber que aquellas varas, largas y flexibles, y que tan oportunamente crecían a la vera del camino, eran avellanos? ¡Qué vergonzosa ignorancia la mía!

Ana Mari y yo nos convertimos en buenas amigas, y a través de ella hice amistad con la gente joven del pueblo. Los domingos subíamos a algún monte a almorzar (en una carta que escribí a mi hermano le decía pomposamente: "En mis ratos de ocio practico la escalada").

Creo que el contacto con gente de mi edad fue una de las cosas que animó mi vida. Porque hay que reconocer que, por muy romántica y amante de la naturaleza que se sea, una chica de veintiún años no es un ser solitario, y aquella amistad, aquellas excursiones, las charlas alrededor de la hoguera donde los chicos asaban costillas o chorizo, eran para mí algo buenísimo.

También era nuevo en el grupo el médico. Un chico joven graduado en la Universidad de Zaragoza, que llevaba poco tiempo en el pueblo. Era bastante majo y animado, y nos hacía reír mucho, porque siempre quería comer la carne asada arrodillado en el suelo y ladrando como un perro.

Hicimos mucha amistad. Incluso salimos solos algunas veces con nuestras bicicletas a dar un paseo y a merendar en cualquiera de las ventas cercanas.

Pero yo, indudablemente, con quienes mejor me llevaba era con Ana Mari y Fermín Goñi. Tenían gustos tan afines a los míos que, como un domingo estuviera lloviendo, ya me tenían en su casa para toda la tarde. Como Ana Mari había estado interna en las Dominicas, había aprendido allí a tocar muy bien el piano. Su hermano tocaba la guitarra, y su padre y su tío, el acordeón, así que organizábamos unos conciertos fenomenales. Yo, como no tocaba nada y canto fatal, me contentaba con escuchar y bailar un poco si alguien se animaba.

CREO QUE, por mucho que busque, nunca encontraré a una familia como aquélla. Eran labradores, como todos los vecinos de Beirechea; pero aunque trabajaban de sol a sol, como suele decirse, siempre tenían tiempo para aprender una canción nueva, para hacer un favor o para hacerle a una la tarde agradable. ¿No era estupendo?

Y pasó también sin sentir el mes de noviembre. Terminaron de deshojarse los árboles y el viento frío comenzó a sacudir violentamente sus peladas ramas. El invierno nos enviaba su saludo preliminar para que nos fuéramos preparando, porque se acercaba a Beirechea a pasos agigantados.

Para entonces, olvidando que debía marcharme antes de Navidad, ya me había comprometido para ser madrina del hijo que esperaba Isabel, y escribí a mamá diciendo que me mandara unas botas de agua, una bufanda y toda mi ropa de invierno.

4

LA primera nevada cayó el día que nació mi ahijadita. El 4 de diciembre.

Ya no se podía pensar en subir al monte ni en dar paseos en bicicleta, y me costaba muchísimo abandonar mi tibia cama todas las mañanas y entrar en contacto con la habitación helada.

En la escuela teníamos que estar constantemente alimentando la estufa y más vale olvidar los ratos que pasaba yo encendiéndola antes de que llegaran los *escolanos,* porque, como todas las cosas de allí, estaba vieja y no tiraba bien; así que entre los catarros y el humo no se oía más que toser.

A pesar de todo, me sentía cómoda y contenta. Se acercaban los días de Navidad, y el tiempo y el pueblo mismo eran lo más típicamente navideños que se podía esperar. Todo él parecía un *belén* precioso.

A pesar del frío, me gustaba salir al balcón al anochecer, y sentía alegría en el corazón al ver las casas con sus ventanas iluminadas y los árboles desnudos tendiendo sus ramas cubiertas de nieve blanca y huequecita, las huellas de pisadas en el suelo, y el campanario de la iglesia, que ahora parecía una monja con su toca blanca, y los montes tan fríos, y las ventiscas que hacían pensar en angelitos traviesos que se lanzaban miles y miles de confetis blancos.

Se habían terminado las excursiones y mi bicicleta descansaba por unos meses en el desván, pero sin embargo me veía compensada por otras cosas.

Era el tiempo que invitaba a reunirnos toda la familia en la gran cocina tan acogedora, o a pasar las tardes con las amigas, charlando y tejiendo jerseys para novios, hermanos o sobrinos, toquillas para las abuelas y chales para los recién nacidos.

Me di cuenta de que era feliz aquel día en que don José Mari decidió ir a Pamplona y regresó al poco rato.

—No sé ni cómo decírtelo, hija, pero no ha salido el autobús. El puerto está cerrado, y si sigue nevando así no vas a poder ir a tu casa para Nochebuena. No sabes cuánto lo siento.

Me quedé consternada. Yo estaba muy ilusionada pensando en esos días, y sabía que mamá estaría contando las horas para verme. No podía olvidar sus ojos llenos de lágrimas en nuestra despedida.

Me dolió mucho, no puedo negarlo. Pero pensé en cómo hubiera recibido la noticia dos meses atrás, y me gustó que ahora no me asustara la perspectiva de celebrar la Navidad en el pueblo. Ya no pensaba en abandonar la escuela. Me gustaba este lugar, y al sentirme así, tan segura de mí misma, sentí una enorme paz.

DESDE casa de los Goñi, que tenían teléfono, llamé a mis padres, y el oír sus voces me llenó de congoja. Papá no cesaba de preguntarme si no tenía alguien en el pueblo un *todo terreno.*

¡Pobre...! No sabía nada de Beirechea, donde sólo el médico tenía un seiscientos...

Traté de animarles diciéndoles que quizá amainara el temporal y podría ir en Nochevieja. Y una vez los convencí de que yo me quedaba contenta y de que estaba muy bien, también me tranquilicé y dejé de estar triste.

Regresé a casa pensando en que quizá fuera mejor así. Una absurda idea iba brotando en mi cabeza: la de que si me iba ahora, ya no regresaría. Que todo aquel equilibrio de trabajo y serenidad que había conseguido se rompería.

Y es que yo comenzaba a amar Beirechea. Quería ser parte integrante de aquel rincón montañoso, de sus gentes, de sus costumbres.

Quería no volver a cometer la torpeza de confundir los avellanos con vulgares palos, por buenos y flexibles que me parecieran, para hacer los arcos de mis *escolanos.*

¿No había cometido este error al juzgar a sus gentes? ¿De dónde pude yo haber sacado que los beirechetarras eran ariscos, de mal carácter, faltos de detalles y mal educados?

La abuela todos los días me esperaba, a mi regreso de la escuela, con una taza de humeante chocolate, que yo aceptaba agradecida, calentando alrededor de la agradable loza mis dedos ateridos.

Don José Mari, amén de su diaria ayuda en mi trabajo, me cedía el privilegio de servirme la primera en la mesa, y me dejaba el periódico y su máquina de escribir siempre que la necesitaba. Eso sin hablar de los libros que intercambiábamos.

Pello no me dejó en todo el invierno bajar a llevar mis cartas a casa del cartero. Lo hacía él. Y

Tomás cuidaba y engrasaba mi bicicleta con el mayor esmero. Y jamás anduve escasa de leña para la estufa de la escuela, porque todos los vecinos se afanaban por que nunca faltara.

¿Cuántos avellanos tendría que destrozar para aprender las distintas maneras de demostrar amor?

Afortunadamente, no estaba todo perdido. Tenía la impresión de que no me había costado tanto darme cuenta de que todo consiste en un poco de comprensión y de tolerancia con esas pequeñas manías que todos tenemos.

Con este pensamiento me dispuse a preparar mis fiestas con el mayor entusiasmo. En la escuela algo tenía que haber. Encontré una cesta de mimbre que contenía un *belén* completísimo y además precioso, y entre los chicos y yo lo montamos una tarde. Nos llevó todo un domingo la recogida del musgo y cortezas de árbol, en lo que participaron hasta los más pequeños, y nos quedó tan bonito que todo el pueblo desfiló por la escuela para verlo.

También en casa Pello y Tomás pusieron otro *belén,* más pequeño, pero no menos bonito, y ante éste cantamos y celebramos en familia el nacimiento del Niño Dios.

Me semtí muy agradecida y también un poco avergonzada al ver el interés que todos pusieron en hacerme feliz, para que aquella Navidad, lejos de mi familia, no fuera triste. Y debo reconocer que lo consiguieron plenamente.

Aquella Misa del Gallo no la podré olvidar jamás. Aquellos villancicos cantados por todo el pueblo, los "solos" de Ana Mari y Fermín, que tenían las mejores voces de Beirechea, y hasta los que cantaron al salir de la iglesia los *escolanos* me pusieron un nudo en la garganta. ¡Qué tonta! ¡Pero si casi tenía ganas de llorar!

Y entonces, por primera vez, agradecí al Niño que me hubiera llevado a Beirechea a pesar de todos mis exámenes brillantísimos y de aquel test tan complicado...

Sí. La escuela de Beirechea, mi pobre escuela, era la que yo siempre había soñado. Sólo entonces lo comprendí.

¿Qué hubiera hecho yo, pobre Muriel, en una escuela moderna, de ciudad, tan poco familiar, tan poco mía, donde mi cometido terminara al terminar las seis y cerrar la puerta de la clase?

Sí, lo mío, mis "humos", como me había dicho el alcalde, eran otros. Yo debía construir, encauzar, no continuar lo que otro había empezado. Y en Beirechea nunca se había empezado nada. Yo debía trabajar, tanto con los padres como con los hijos. ¡Cuántas veces los niños mayores acudían a la escuela gracias a mi machaconería, y algunas veces hasta a la adulación...! Sabía lo que suponía para un padre oír que su hijo era el más listillo de la clase, que merecía la pena que siguiera en la escuela un año más. También solía aprovecharme de esa especie de envidiosa rivalidad que existe en todos los pueblos pequeños. A veces bastaba con decir a la madre de las Iparaguirre, cuando pasaba cerca de nosotras la pequeña de los Nuin:

—Esta chiquita también promete... Es inteligente, aplicada... En todo el mes no ha faltado un solo día a la escuela. Va muy igualada en todo con Teresa. Si su hija no faltara tanto... Estoy segura de que incluso la adelantaría, pero la pobre tiene tan mala suerte con las muelas...

Y un comentario tan infantil solía dar muy buen resultado. Teresa acudía regularmente a clase durante un buen montón de días.

Y en todo este mi acontecer docente estaba yo sumergida en la misa de Nochebuena.

—Muriel —me parecía que decía el Niño—, ¡pero qué tonta eres! ¿Es que crees que yo no sabía lo que hacía cuando te traje con nosotros a Beirechea?

Me quedé muy sorprendida de que también el Niño Jesús dijera *nosotros,* como aquel día lo hiciera don José Mari, cuando yo todavía era una maestrita vanidosa, llena la cabeza de sueños tontos que me impedían ver lo que podía encerrar dentro de sí aquella escuela que por fuera se desmoronaba.

Cuando salimos de misa había dejado de nevar y el cielo estaba tachonado de estrellas brillantes y pequeñitas que tintineaban con timidez. Fermín vino hacia mí sonriendo:

—¡Feliz Nochebuena, Muriel!

Y a la vez surgió por el otro lado Miguel, el médico.

—¿Contemplando las estrellas?

Y los dos se miraron confusos, como avergonzados de haber venido al mismo tiempo.

—Ana Mari y yo vamos con los Echeverría a casa de la señora Ana a cantar un rato. La pobre no se puede mover por lo del reúma y estará sola. Si te animas tú también... Y por supuesto tú, Miguel.

—Lo siento. Han venido mis padres y mi hermano para acompañarme estos días. Precisamente necesitamos una chica guapa que nos endulce, aunque tampoco nos molestan los tipos feos. Así que yo iba a invitaros a venir a mi casa.

Me pareció que la cara de Fermín se ensombrecía; y, casi a la vez, el lucero más grande se apagó y volvió a encenderse, como si parpadeara.

Los dos me miraban como si estuvieran esperando mi decisión para ir con uno de ellos. Yo no sabía qué hacer para no herir a ninguno, porque también Miguel parecía repentinamente triste.

Fue Tomás, el viejo solterón Tomás, quien, haciendo gala de la proverbial delicadeza de Beirechea, se llegó hasta nosotros y dijo sin más preámbulos:

—Vamos, vamos rápido, que la madre espera y nosotros tenemos costumbre de rezar ahora el rosario.

Me quedé de una pieza ante el programa que se me presentaba, pero mis dos amigos se echaron a reír abiertamente. Estaba segura de que se alegraban.

—¡Menudo plantón nos das! —dijo Fermín.

—¡Para que luego digan de los viejos! ¡Tienen mucho más gancho que nosotros! —rió Miguel.

Y yo corría a casa, pisando muy fuerte en la nieve con mis botas altas, dispuesta a rezar los quince misterios si fuera preciso.

Pero aunque Tomás se veía que tenía mucho interés en eso del rosario, el cura dijo que ni hablar, que ahora que el Niño estaba entre nosotros era tiempo de reír y de cantar.

La abuela había sacado ya una enorme fuente de compota de orejones, ciruelas pasas y manzanas, con palitos de canela, y una bandeja de turrón casero. Don José Mari tenía escondida en la mochila de su moto una pandereta. Maite y Mikele se apoderaron de unos ruidosos almireces, mientras los dos pequeños miraban al cura... Sus ojos soñolientos se animaban porque don José Mari no tocaba la pandereta de un modo vulgar: la tocaba con un truco que no nos quiso decir, y a la vez que sonaba caían de ella peladillas, piñones y almendras.

Cantamos hasta quedar roncos. Tomás, pasada su decepción por lo del rezo del rosario, pasó el txistu a su hermano y me pidió carraspeando que bailáramos una porrusalda. El cura, por su parte, dijo a la abuela que le hiciera el honor de acompañarle. En la vida me he reído tanto.

Al final, Tomás decía encantado que al día siguiente estaba seguro de que nadie se lo creería; porque mira que haber bailado nada menos que con la maestra...

Y sólo cuando, cansados, decidimos que ya era hora de irnos a dormir, don José Mari, sin duda para complacer a Tomás, dijo que podíamos rezar el tercer misterio de gozo.

Pero él ni siquiera lo oyó. No sé si fue la copita de anís o los dos vasos de espumosa sidra. Quizá sólo era sencilla alegría, pero el hecho es que se puso a cantar —en un milagro terrible de adaptación— el *Adeste fideles,* con la tonada de *Las estrellitas que hay en el Cielo.*

5

CUANDO abrí nuevamente mi escuela, el 8 de enero, hacía un día maravilloso. La nieve empezaba a fundirse bajo los rayos del sol, y el río crecía al recibir el agua de la montaña.

Había empezado la época de las gripes, y me sentí muy preocupada, porque, aparte de las Iparaguirre, con las que nunca sabía a qué atenerme, faltaban muchos *escolanos*. Además de aquella Marta Arive, a quien ningún niño había visto jamás.

—La casa de Arive es ésa que queda apartada junto al recodo, pero yo creo que sólo vive un hombre que no va a misa —dijo Regina.

—Pues yo una vez vi por allí a una niña que tenía un muñeco grande, de ésos que lloran y cierran los ojos. A lo mejor es su hija.

Como tampoco yo conocía a esa familia, pensé que no vivirían habitualmente en el pueblo. Seguramente la niña estudiaría en la ciudad. Pero, más que nada por tranquilizar mi conciencia, decidí enterarme.

Don José Mari, que sin duda era quien mejor podía orientarme, faltaba esos días del pueblo, así que me fui a casa del alcalde. Pero resultó que también él estaba con la gripe, y su mujer me dijo que ella nunca le tocaba el arca, que por lo visto hacía las veces de Casa Consistorial, pero que tan pronto como estuviera bien su marido, me avisaría.

Después pensé que en casa me podían haber informado, pero me olvidé de preguntar, así que el jueves por la tarde bajé mi bicicleta del desván, pensando dar un paseo, y ya sobre la marcha decidí ir hacia casa Arive, a la conquista del viejo ateo.

No me costó encontrar el camino que me habían señalado los *escolanos*. Era un carretil escasamente transitado, que llevaba directamente hasta allí.

Me vi frente a la casa de repente, al volver un recodo. Desmonté y me acerqué andando.

No sé cómo explicar mi extraña sensación. Me pareció como si ya hubiera estado antes allí, o al menos que había soñado con ella, pero no sé lo que sentí dentro de mí al contemplar aquella casona. Era la más hermosa que había visto en mi vida, y sin embargo no se diferenciaba mucho de las otras casas del pueblo, como no fuera por su aspecto bien cuidado. La puerta era grande, acogedora, con su ventano en la parte izquierda, y el clásico balcón del piso más alto, cobijado bajo el alero del tejado.

Golpeé primero suavemente, y como nadie acudiera, lo hice con mayor energía, y al fin me decidí a entrar, después de anunciarme con el acostumbrado *Deo gratias* de Beirechea.

Me encontré en una enorme entrada amueblada con dos largos bancos y una de esas mesas abatibles en forma de pala. De las vigas del techo pendían grandes manojos de panochas de maíz, de hojas secas y quebradizas y granos amarillos, y me sorprendió un agradable aroma.

Eran membrillos. Deliciosos membrillos amarillos, cuidadosamente extendidos por el suelo sobre arpilleras. Aspiré encantada.

—¿Hay alguien en la casa? —grité.

Pero nadie me contestó.

También estaba desierta aquella sala en la que chisporroteaba alegremente el fuego de la gran chimenea, y por cuya puerta asomé mi indiscreta cabeza.

Los muebles eran sencillos, muy parecidos a los de las otras casas del pueblo, pero a pesar del desorden reinante tenía algo de atractivo, algo que la hacía diferente a todas las salas en las que yo había entrado hasta entonces. Algo que la hacía parecer como más mía.

Se me ocurrió de repente que yo podía muy bien vivir allí, sentarme en uno de los sillones que había junto a la chimenea sin sentirme extraña... Allí había algo, algo muy común a mí, pero no sabía qué era.

Incluso tuve el atrevimiento de sentarme en aquel sillón de asiento de anea, pero me levanté inmediatamente. ¡Qué horror! ¡Mira que si alguien entrara en ese momento!

Conteniendo los latidos de mi corazón, salí a la entrada de nuevo, tosí y volví a gritar *Deo gratias,* con voz muy fuerte.

Me fijé en que al otro lado había una puerta, que sin duda era también de salida; así que la abrí y me encontré en el exterior nuevamente... ¡Pero qué exterior! Una era llana, en la que los árboles frutales eran dueños y señores. Sentí lo que debió de experimentar nuestra madre Eva al contemplar por primera vez el Paraíso.

¡Oh, y aquella casa! Parecía como si acabara de brotar también de la tierra, con su hermosa solana mirando al sur, sus gruesos postigos en las ventanas,

ventanas que hacían resaltar el espesor de los muros, dándole aspecto de fortaleza.

"¡Quién fuera Eva!", recuerdo que pensé. Y fue entonces cuando apareció Adán.

Bueno, no es que apareciera. Estaba ya allí cuando yo llegué. Me miraba de hito en hito, subido en lo alto de una escalera de tijera. Debía de estar reparando la cañería, porque en la mano tenía una llave inglesa.

—Buenos días —dije desconcertada.

—Buenos días —me contestó. Y casi al instante brotó de la tubería un inoportuno chorro de agua que me puso perdida toda la zona izquierda de mi zamarra.

—Póngase a la derecha —dijo sin saltarle la risa ni nada. Me miraba jugueteando con la llave y con cara totalmente desprovista de interés.

—He venido a hablarle de Marta —empecé cautelosamente.

—¿Le ocurre algo a Marta?

—No. Pero creo que debe ir a la escuela.

—¿A la... escuela?

—Bien. He venido a hablarle de la niña. Sólo deseo daber si su hija vive con usted en Beirechea o si, por el contrario, está en algún otro lugar, o quizá interna en un colegio... En fin, en una palabra, quiero saber si está escolarizada.

—Me parece que me estoy armando un lío, o que se lo ha armado usted. Yo no tengo ninguna hija. Soy soltero.

Me puse como un pimiento, y a pesar del frío tuve la impresión de estar sudando.

—Pues... pues, ya me puede perdonar. Debe ser que me he equivocado, aunque me han dado estas señas. Mire, yo vengo preguntando por una niña de siete años que se llama Marta Arive.

Oí una exclamación, y otro chorro de agua se proyectó hacia donde yo estaba. Me agaché a tiempo, pero quedé instalada entre dos surtidores muy molestos.

—¡Vamos, suba por el otro lado de la escalera y ayúdeme! —gritó.

—Yo me voy... —contesté muy apurada.

—¿Que se va? ¿Pero no ve que si no me ayuda el agua acumulada ahí arriba va a inundar la casa?

La sola idea de que a la casa pudiera ocurrirle algo tan terrible me impulsó a obedecer mansamente, y en un segundo me vi en la escalera, junto a aquel hombre tan raro, tapando con mi mano uno de los escapes, mientras él arreglaba el otro.

—Gracias —me dijo cuando terminamos. Estábamos ahora en la entrada, y me dio una toalla para secarme las manos.

Sobre un arca descansaba un par de calcetines de hombre.

—Bueno... pues si usted me dijera ahora por dónde debo ir a casa de los Arive...

—Está en ella. Yo soy Arive.

—Bueno, pues menos mal... En fin, Marta, cualquiera que sea el parentesco que le une con ella, yo quisiera saber si va a alguna otra escuela. Yo soy la maestra de Beirechea, no sé si se lo he dicho.

—¡Ah, vaya! Es la maestra. Debí haberlo imaginado.

Los membrillos seguían deleitándome con su aroma, pero yo, cohibida, había clavado sin querer mis ojos en uno de los bancos, en el que había dos jerseys y otros dos o tres pares de calcetines. El también miro hacia allí.

—Supongo que no va a caer en el error de decirme que se nota la falta de una mujer en mi casa, ¿verdad? Pecaría de poco original —dijo con acritud.

Aquello me dolió mucho, y aparté los ojos de la ropa como si quemara.

—No he venido a hablar de su casa, ni de usted, sino de una niña, y es lo único que me interesa. De todas formas apelo a su responsabilidad. Sin duda usted ya sabe dónde está la escuela. Si algún día quiere aclararme este asunto, lo recibiré allí.

Crucé la entrada y me permití el lujo de cerrar dando un buen portazo. Mi pobre venganza sólo a mí me perjudicó, porque me pillé cuatro dedos de una mano al hacerlo. Dolorida y avergonzada, me acerqué a mi bicicleta y me monté en ella.

Todavía dirigí una última mirada a aquella casa que tanto me había impresionado. El hombre había salido a la puerta, y desde allí me miraba tranquilamente, sin importarle nada mi desazón ni mis dedos magullados. Pedaleé enérgicamente, queriendo parecer una mujer muy segura de sí misma.

Pero ya. Ese día hubiera hecho mucho mejor quedándome en la cama.

POR EL recodo doblaba una gran manada de vacas. De enormes y terribles vacas, de espeluznantes y amenazadoras vacas.

Me hicieron sentir un miedo atroz. Avanzaban despacio hacia mí... Bueno, no voy a decir que vinieran precisamente hacia mí, pero ocupaban toda la anchura del camino, y en un segundo me vi rodeada, aplastada por ellas.

Toqué desesperadamente el timbre, pero fue inútil. Aquellos animales no se apartaban, no me dejaban sitio, y yo hacía verdaderos equilibrios para sostenerme en la bici, cosa que no logré durante mucho tiempo, porque al fin perdí el dominio de ella y caí al suelo.

Ahora mi miedo se convirtió en terror. Sólo veía patas. Patas blancas y negras a mi alrededor. Pensé que iba a morir aplastada.

Pero no. De pronto oí voces, y las vacas se fueron separando de mí. Cuando al fin me atreví a separar las manos de mis ojos, lo primero que vi fue al hombre de la casa, con un enorme palo en la mano, y a dos de mis *escolanos,* que debían de ser los conductores del ganado. Me miraban consternados.

—No ha sido nada, ¿verdad? —preguntó él.

—Sólo el susto. Gracias.

—Señorita, ¿quiere que la acompañemos a su casa?

—No. De veras. No me he hecho daño.

Los dos niños me miraron con timidez, y entonces el mayor me dijo en tono confidencial:

—No se apure usted, señorita, que no se le ha visto nada.

Si no hubiera estado tan avergonzada me hubiera reído de buena gana, pero lo único que hice fue mirar de reojo al otro, a Arive, que no sé por qué, pero me hacía sentirme más y más ridícula por momentos. Me pareció que tenía la cara congestionada y que apretaba la boca, como quien quiere contener una carcajada.

Pensé que el viejo ateo, como su casa, era igual,

pero diferente a los otros, y me daba rabia no saber en qué consistía la diferencia.

Los dos chicos me ayudaron a levantarme, y yo hice como si lo único que me importara en aquel momento fuera el buen estado de la bicicleta.

—Se olvida del bolso, señorita —dijo Antxon.

—Sí, es verdad. ¿Me lo das?

—Me parece que también el libro es suyo, ¿no? —dijo el hombre—. Ha debido salirse del bolso.

Y fue entonces cuando lo supe.

—¡Libros! —grité entusiasmada—. ¡Había libros!

Y los tres me miraron como si estuviera loca; pero yo, sintiendo una enorme alegría, les dije adiós, y me alejé de ellos.

Sí. Ahí estaba la diferencia. Aquel hombre leía. Leía porque en la casa había libros. Los había visto en la sala. Muchos libros colocados aquí y allá sin ningún orden. Había una hilera de ellos encima del arca; y el vasar, donde en otras casas colgaban la loza, estaba aquí convertido en librería. Había libros en las repisas de las ventanas, en la de la chimenea y en casi todas las sillas.

Sí; eran ellos los que hacían la casa diferente a las otras, porque en Beirechea no se leía nada. Incluso en casa de los Goñi faltaba la afición, y eso que les gustaba la música y Ana Mari había estudiado en un colegio de monjas.

Empecé a repasar mentalmente las casas en las que yo había entrado y llegué a la conclusión de que, efectivamente, aparte de los textos escolares, la Biblia, El Año Cristiano, el periódico y alguna que otra revista piadosa, en el pueblo no había más letra impresa que la que don José Mari y yo intercambiábamos, y aquello me dio mucha lástima.

Tengo que conseguir que mis chicos lean —pensé sin dejar de dar a los pedales—. Quizá su salvación esté en los libros. Leyendo puede que sientan alguna inquietud y entonces nazca en ellos el afán de saber y el amor al estudio, y si su destino está en quedarse aquí, en vivir del campo, los libros serán como una prolongación de la escuela.

Me asustaba que mis *escolanos* quedaran toda la vida con los solos conocimientos que yo les diera, hasta sus doce, quizá, como mucho, catorce años, y estaba convencida de que los libros les harían sentirse más al día.

Y es que yo sentía lástima de verlos así, tan hundidos en sus problemas, sin una salida, sin una posibilidad de ampliar un poco su saber. Toda su cultura se terminaba para ellos el día en que abandonaban la escuela.

Y yo no quería. Yo no quería eso para José, Itziar, Teresa, Txomin, Mercedes, Antxon y los otros niños.

Pondré una biblioteca —me dije con decisión, dispuesta a sacrificar los escasos ahorros de mis tres meses de trabajo—. Tengo que iniciarlos en seguida. Si ahora no leen cuentos, difícilmente leerán otra cosa de mayores.

Y cuando llegué a casa era tal mi entusiasmo que me había olvidado de Marta Arive, de la casa, de los membrillos y hasta de las vacas. Mi mente iba muy afanosa, intentando recordar todos aquellos libros de mi niñez que podían interesar a los niños de ahora.

Subí a mi cuarto sin detenerme en la cocina y busqué un cuaderno. Escribí.

Todos los de Elena Fortún.

Todos los de Joanna Spiri.

Alguno de la Condesa de Segur.

Todos los de Julio Verne.

Algunos de Karl May.

Mirar algunos clásicos de la literatura universal adaptados a los niños.

Sobre este último punto me sentía algo más inquieta.

A mí siempre me había parecido un tanto criminal resumir las grandes obras. Cuando llegaran los chicos a mayores, ¿no las dejarían de lado diciendo: "Ya la leí hace mucho", y se quedarían sin conocerla en toda su extensión cuando ya tenían edad de apreciarla?

Taché lo de los clásicos.

¿Y si, por el contrario, guardaban de ellos un recuerdo tan grato que iban a buscarlos precisamente por eso?

Volví a escribir:

"Mirar buenos clásicos adaptados."

Sí. Sería lo mejor. Además, pese a mi entusiasmo, tenía miedo de que muchos de los chicos se quedaran para toda su vida con lo que leyeran ahora.

Escribí a mi hermana y le envié la lista confeccionada para que me los comprara. Le dije que mirara también si en algún lugar de la casa quedaba alguno de nuestros cuentos infantiles, y que me mandara todo, lo antes posible, en el autobús.

Conseguí también las direcciones de varias editoriales y escribí pidiendo catálogos de literatura infantil y juvenil. Tenía que haber muchos libros nuevos que yo todavía no conocía y ésa era la mejor manera de saberlo.

Y salí nuevamente de casa, con mis cartas y una extraña sensación de felicidad, pese a que acababa de descubrir que no me podía sentar, porque tenía una impresionante moradura que ennegrecía por momentos, en un sitio que no quiero decir.

6

DESPUES de varios días de impaciente espera y de salir al autobús a preguntar, al fin llegaron los libros.

Eran dos cajas tan pesadas que tuve que dejarlas en el bar, junto a la parada, y pedir ayuda para llevármelas.

Las abrí en la escuela. ¡Qué ilusión tan grande! Allí aparecieron muchos de mis libros de cría. Aquella colección del jesuita americano Finn que tanto me gustaba allá por mis doce años... ¿Quién después de haberlos leído podría olvidar a Tom Playfair y a Pepe Ranly? Y los de Julio Verne y de Salgari, y algunos de Walter Scott y de Jack London... ¡Y hasta dos tomos de los coleccionables de Mari Pepa, que ahora ya no se editaban!

En aquella caja estaba condensada toda mi niñez y mi adolescencia, y me traía muchísimos recuerdos.

Casi todos los del Padre Finn los había leído cuando me extirparon las amígdalas; *Ivanhoe* y *El Pirata* me los regalaron mis padres al aprobar el bachillerato; los de Mari Pepa me fueron llegando invariablemente todos los días de Reyes; y los de Julio Verne los fui comprando con los ahorros, peseta a peseta, a los catorce o quince años.

En la otra caja iban los nuevos. Su presentación era mucho más cuidada. Venían autores como Enid

Blyton, que era quien ahora hacía las delicias de los niños. También en otra magnífica colección llegaban *La Odisea, La Eneida, La Ilíada, Don Quijote de la Mancha, La canción de Roldán, El lazarillo de Tormes...* Yo estaba encantada.

Mi optimismo decayó mucho cuando los vieron los *escolanos,* ya que no sintieron ninguna ilusión por ellos.

—¡Ah, son libros! —fue el comentario general.

Quizá mi error fue el haberles dicho que les guardaba una sorpresa estupenda. Creo que se hicieron la ilusión de que eran juegos. El libro no es espectacular y no atrae en absoluto al no iniciado. Debí haberlo pensado antes. Mis chicos se habían acostumbrado a considerarlo sola y exclusivamente como material de estudio. Un libro no era un regalo para ellos.

De todos modos intenté ilusionarlos y, después de las seis de la tarde, pedí voluntarios para forrarlos; porque mi madre, muy previsora, me había mandado junto con ellos un rollo de papel azul muy resistente y unos cuantos rollitos de cinta adhesiva.

Todos los mayores se animaron, porque este tipo de trabajo les gustaba mucho. Los que vivían más cerca fueron a sus casas para traerse las meriendas y algunas tijeras y pusimos manos a la obra.

Aproveché aquel momento para hacer mi primera siembra y les fui contando retazos de éste o aquel otro libro, que yo había leído hacía ya muchos años, y no sé si sería ilusión mía, pero el caso es que parecía que se iba despertando su interés.

Lo que más me extrañó fue que les atrajera tanto el tema del miedo. Teníamos allí unos cuentos españoles y recuerdo que uno de ellos era *La Muerte quiere ser Madrina.* Lo leí de muy chica y sé que terminé la lectura con los pelos de punta. Trataba de un hombre pobre que busca madrina para su hijo y la muerte se ofrece para ello. Al cabo de los años, el hijo es médico y hace un convenio con ella. Todos sus enfermos sanarán si, cuando entra en la habitación, ella no está presente. Por el contrario, si la ve a la cabecera de la cama debe desistir de su empeño. El enfermo le pertenece a ella y se lo llevará.

—¿Y qué pasó después? —me preguntaron tres o cuatro voces llenas de pánico, pero con cierto placer morboso.

Pero yo no lo recordaba. Sabía algo de que el médico había salvado al rey o a la princesa rompiendo el mandato de la muerte, pero nada más.

Y aquello, aquel olvido mío, fue la salvación de la biblioteca escolar de Beirechea. Seis *escolanos,* cuatro chicos y dos chicas, pidieron permiso para llevarse el libro a su casa ese mismo día, y yo, que siempre me enfadaba mucho cuando los veía reñir, sentí un gran placer al verlos pelear por él.

—¡Yo lo he pedido primero!

—¡Pero yo leo mucho más de prisa! Tú tardarás años en devolverlo.

—¡Yo he sido el primero, por más que lo diga Matilde!

Lo echamos a suertes y Antxon fue el afortunado. Tenía derecho a tenerlo en su casa una semana completa, y se fue con él bajo el brazo muy satisfecho.

Quise que también los otros eligieran algo, pero fue imposible. Lo único que querían saber es qué pasaba con el ahijado de la muerte, con el rey, la princesa y si la muerte aparecía muchas veces.

Decidí que si en aquella ocasión había conseguido animarlos por haber olvidado el final del cuento, podía seguir por el mismo camino, al menos hasta que ellos, espontáneamente, sintieran deseos de leer.

Con los pequeñitos me fue muy sencillo. Los bonitos dibujos de los cuentos eran suficiente atractivo para ellos y cada día nos sentábamos alrededor de mi mesa y les leía en voz alta. *Caperucita Roja, Blancanieves, La Bella Durmiente, Pinocho, Pulgarcito* fueron desfilando poco a poco ante sus maravillados ojos. Pensé que al haber empezado con ellos tan niños, tenía avanzada la mitad del camino. Estaba segura de que para cuando supieran leer solos, el libro sería para estos niños ya una necesidad.

Transcurridos los siete días, Antxon trajo el libro. Había leído seis o siete veces el cuento de la Muerte, pero ni siquiera había mirado el resto de las narraciones.

—¿Y el de *Juan sin Miedo,* no te ha gustado?

—Yo sólo quería el de la muerte.

—Pues has sido bien tonto. El de *Juan sin Miedo* asusta mucho más. Imagínate que tiene que pasar tres noches completamente solo en un castillo maldito, del que nadie ha salido jamás con vida... Pone los pelos de punta. Con decirte que juega a los bolos con calaveras... —añadí con voz sombría.

Me disgustaba tener que hablar así. Tenía la sensación de que jugaba sucio, pero el cuento de miedo era el único que les entusiasmaba. Era lo que se había transmitido de generación en generación por medio de las abuelas, que contaban a los críos las mayores truculencias.

—¿Cómo? ¿Pero con quién jugaba a los bolos?

—No lo recuerdo. Creo que con un fantasma que bajaba cada noche por la chimenea.

Tuvimos otra vez revuelo general. Antxon quería llevarse el libro nuevamente, pero las chicas protestaban. El ya lo había tenido siete días... Que lo hubiera leído entero. Los demás todavía no se habían enterado de qué había pasado con la muerte y el médico. Ahora les tocaba a ellos. Había que rifarlo otra vez.

—Haga usted justicia —me decía Matilde, que era muy rimbombante hablando.

La ganadora fue ahora Teresa Iparraguirre y, ante mi asombro, me devolvió el libro justo a los tres días.

—¿Es que no te gusta?

—Al contrario, lo he leído en tres noches con una vela, para que mi madre no me riñera por tener la luz encendida. Ahora quiero otro, pero que sea muy gordo.

¿Pareceré muy tonta si digo que sin querer me salió una lágrima? Y es que Teresa, para su edad, estaba un poco retrasada. Siempre iba a la cola de Matilde, Idoia, Antxon y Pedro, que tenían los mismos años.

Me limpié la lágrima apresuradamente, revolví entre los libros y le di uno de la Condesa de Segur.

La autora era en nuestros tiempos ya un poco cursi, pero sus cuentos me parecían de fácil lectura, y estaba segura de que todas sus niñas, modosas, respetuosas con sus madres, acomodadadas habitantes de castillos, y sus moralejas finales, encantarían a Teresa.

Y acerté. Cuando todavía los *Cuentos Españoles*

seguían circulando de mano en mano, cuando aún el médico y la muerte, y *Juan sin Miedo,* eran tema de conversación en los recreos, Teresa, siempre callada y modosa, ya había leído cinco o seis libros y seguía pidiéndolos con asiduidad.

Pensé que debía premiar su interés de alguna manera y, al mismo tiempo, estimular a los demás y la nombré bibliotecaria para todo un trimestre. Los demás *escolanos* se quedaron con la boca abierta.

—Todos los que tengáis interés por la biblioteca podréis también ser bibliotecarios. Los demás *escolanos* os pedirán y os devolverán los libros, y tendréis que encargaros de mantenerlos cuidados y ordenados. Además, vamos a hacer un fichero entre todos. El chico o chica que me entregue un resumen del libro leído, bien hecho, tendrá mejor nota en lenguaje y, además, su resumen lo archivaremos, y así los demás, cuando tengamos el fichero bien completo, consultándolo sabrán, al elegir un cuento, de qué trata, y podrán pedir lo que más les guste. ¿Habéis entendido? ¿Os parece a todos bien?

Todo lo que yo decía les parecía bien. Lo malo era ver si luego lo cumplían.

Pero Teresa, sí. Volvió a sorprenderme pocos días después entregándome las fichas que yo le había preparado. Su escritura seguía siendo horrenda, pero las había rellenado correctamante, empleando para ello palabras que yo sabía que nunca hasta entonces había usado. ¡Y sin una sola falta de ortografía!

La miré agradecida, con una nueva sensación de cariño. Pensé que aunque sólo consiguiera una, aunque sólo despertara ella, ya me vería compensada.

De todos modos, al acercarse las vacaciones de Semana Santa acepté el balance como positivo. Aunque aún tenía a José, que ni siquiera tuvo paciencia para terminar el famoso cuento de la muerte y se hizo contar el final por el compañero durante la clase de matemáticas, los niños habían leído bastante, y aunque ninguno llegó a la altura de Teresa, quedé bastante contenta cuando examiné el fichero.

—Esta idea se me tenía que haber ocurrido a mí —dijo don José Mari un día que nos visitó para hablar con los niños que iban a ser confirmados, y vio nuestra modesta biblioteca, habilitada en unas cuantas cajas de embalar quesos, muy bien empapeladas.

—Ya siento habérsela robado.

—No lo sientas. Alégrate como me alegro yo. ¿Qué importa quién hace las cosas, con tal de que se hagan?

Y así, paso a paso, llegamos a las vacaciones de Semana Santa, y yo decidí ir a pasarlas con mi familia, aunque me diera mucha pena dejar a los chicos.

Ellos sentaron plaza de insurrectos y amenazaron con decirle al chófer que no me dejara subir al autobús. Me escondieron la maleta y después el bolso, y al fin, cuando les prometí que estaría de regreso antes de comenzar de nuevo las clases y que haríamos una excursión, se resignaron y hasta me acompañaron al autobús, llevándome el bolso, la maleta y el abrigo por turno, porque todos querían ayudarme.

Para que nada faltara, hasta Miguel atravesó de un salto la verja de su casa y se puso a mi lado.

—¡Hola, Muriel! ¡Si es que no se te ve el pelo últimamente! ¿Estás ya de vacaciones?

—Ahora mismo las empiezo. Me voy a mi casa.

Hizo un chasquido con la lengua y movió la cabeza con gesto de impaciencia, contrariedad y desilusión.

—Yo tenía un montón de planes para estos días.

—Guárdalos para dentro de una semana, que estaré ya de vuelta. No reserves ni uno para vosotros solos, ¿eh?

Los niños hablaban a voz en grito con el cobrador. Palabras sueltas llegaban hasta mí.

—¡A la señorita maestra la pones junto a la ventanilla!

—¡Perico! ¿Has reservado un buen sitio para la maleta de la señorita maestra?

—Cuidado al coger las curvas.

Subí al autobús ante la curiosidad del chófer, que era nuevo y debía de estar pensando que yo era una persona importante. Porque, la verdad... ¡con tanta escolta...!

El vehículo se puso en marcha y yo dije adiós a Beirechea. En medio de la carretera, el médico y los críos gesticulaban aspaventeramente.

7

EN LA estación de autobuses de Pamplona no había mucha gente y en seguida vi en el andén a Sylvia y a su novio, agitando la mano y sonriendo, mostrando los dos unos dientes preciosos. Resultaban una pareja de lo más atractiva. Casi cinematográfica.

—¡Muriel! —gritó ella dándome un abrazo—. Estás negra como un tizón. Se ve que los aires del pueblo te van de maravilla.

El hecho de que Carlos se hiciera cargo de mi maleta y me abriera la puerta del coche para entrar, me recordó bruscamente que estaba en un mundo diferente, que ya casi había olvidado.

Era sorprendente ver las calles llenas de tiendas (en Beirechea sólo había una, en la que vendían tanto chocolate como jabón de afeitar, escobas de mijo, cubos de plástico y palitos de canela), el ir y venir de la gente, los coches...

—¿Y qué tal por ese pueblo? —dijo de repente mi hermana, encendiendo un cigarrillo con mucha pericia y metiéndoselo a Carlos entre los labios. La abuela se hubiera quedado escandalizada si lo llega a ver.

—Estoy muy contenta. ¿Por qué no vais los dos algún día? Es un lugar precioso, sin un coche, sin un rótulo luminoso. Todo lo bonito de allí es natural.

Os gustará. Sólo desde el balcón de mi casa se contempla ya la mejor obra de arte.

Me detuve al ver la extraña expresión de mi hermana y me pareció mejor no seguir hablando. Estaba segura de que no me entendería... ¿Lo hubiera entendido yo hacía sólo unos meses?

Los días que pasé en casa se me hicieron casi tan extraños como los primeros de mi estancia en Beirechea. Si no fuera porque tenía a mis padres y hermanos, me hubiera sentido igual de sola. Echaba en falta la escuela y el afecto de los niños y, además, me acordaba muchísimo de la abuela.

Como tuvimos la mala suerte de que no dejó ni un solo día de llover, teníamos que recurrir mis amigas y yo al cobijo de las cafeterías, que siempre estaban llenas de gente. A mí me entraba entonces algo parecido a claustrofobia, entre el humo del tabaco y las voces de la gente... ¿Es que no es mucho mejor tomar el café bien calentito en casa, alrededor de la mesa camilla? ¿Por qué teníamos que esperar tanto rato a que hubiera sitio en la barra o en una mesa para merendar? ¿Y cómo se podía tomar un té o un chocolate con tranquilidad, como a mí me gustaba, sabiendo que otras quince o veinte personas aguardaban, sin dejar de mirarnos, a que terminásemos, para sentarse ellas en el sitio que dejásemos libre?

Me chocaba que hacía todavía tan poco tiempo yo encontrara esto perfectamente natural.

Sin embargo, ahora me sentía agobiada. No podía hablar con mis amigas sin elevar la voz, casi hasta gritar, por encima de las conversaciones de los demás. Las chicas me parecían un poco vacías. La desmedida ilusión de Elena, mi hermana menor, por los vestidos, me extrañaba. Me di cuenta de repente de las pocas cosas que se necesitaban en Beirechea y de todas las que aquí parecían imprescindibles, y tuve la sensación de que se perdía el tiempo tontamente.

Todo aquello estaba muy cambiado desde que yo me fui... ¿O es que era yo la que había cambiado? Porque la gente me miraba de una forma un poco rara.

Por otra parte, tal vez yo me puse un poco pesada con la recogida de libros. Empecé a pedir libros sobrantes en todas las casas que frecuentaba. Incluso llegué a llamar a alguna tres o cuatro veces por teléfono, si en ellas me habían dado una esperanza.

También descubrí entonces que la gente es bastante agarrada y que en el pueblo se me estimaba mucho más. Hasta raro y todo se me hacía que las familias de mis amigas no me ofrecieran todo lo que tenían. De todas formas, conseguí algunos libros, aunque no muchos.

El hermano de Marisa, que estaba medio metido en el Opus Dei, me obsequió con cinco ejemplares de *Camino* y, unos de aquí y otros de allá, reuní *Los niños Grittli,* de Joanna Spiri; *Leyendas de Jesús,* de Selma Lagerlof; *La vuelta al mundo en 80 días,* y tres o cuatro volúmenes de Zenaide Fleuriot que parecían muy bonitos. Bueno, también mi primo José Antonio me dio *Tartarín de Tarascón en los Alpes.* Estaba tan nuevecito que sólo tenía cortadas las hojas de dos capítulos; sabiendo lo insaciable de lectura que había sido mi primo, me olió francamente mal y temí que el libro sería un rollo.

Llevaba tantos paquetes y me entretuvieron tanto en casa que estuve a punto de perder el autobús.

Afortunadamente, Perico, el cobrador, ya me conocía y cuando me vio correr por el andén mandó detener el coche hasta que subí.

Como de cotumbre, iba abarrotado de gente, pero todos me saludaban cuando avanzaba por el estrecho pasillo, luchando por mantener el equilibrio entre mis bultos; sobre todo, los libros pesaban una barbaridad. Fui a dejarlos en el suelo cuando me fijé que el chico de delante me miraba sin ningún disimulo.

Yo acababa de estrenar una falda estrecha azul marino y cuando trataba de agacharme se me subía, lo que me resultaba violento, así que decidí no moverme. Aguantaría estoicamente todo aquel saber humano bajo mi brazo, pasara lo que pasase. Todo antes que ponerme colorada, como me ocurría siempre.

Estaba pensando en lo tonta que había sido por no haberme puesto mi falda habitual, menos elegante, menos mona, pero mucho más cómoda, cuando vi a mi lado al chico de delante. Sin decirme una palabra, me quitó todos los paquetes, me hizo sentarme en su asiento y colocó luego las cosas junto a mí.

En el coche de línea de Beirechea era esto tan inusitado, tan poco común, que levanté la cabeza sorprendida, encontrándome cara a cara con Javier Arive, a quien no sé por qué yo llamaba el *Viejo Ateo,* sorprendiéndome de ver a un viejo tan joven. ¿Cómo no me había dado cuenta antes de esto? Era joven, tenía el pelo casi rubio, los ojos de mirada franca y un bonito jersey azul marino.

Le sonreí agradecida, pero no supe qué decirle; así que procuré parecer lo más digna posible. Crucé no sin dificultad las piernas bajo mi falda nueva y comencé a charlar con mi vecina de asiento sobre la fiebre aftosa, la veza, el cereal y la alfalfa, temas que en aquel momento procupaban a los beirechetarras. Para entonces ya había decidido escribir a Elena, proponiéndole el cambio de la falda azul marino por cuatro libros a mi elección. Estaba segura de que aceptaría.

Cada vez que lograba emerger de entre la veza y la cebada de mi compañera de viaje, miraba con un ojo a Arive y siempre lo encontraba mirándome a mí. No sé si me gustaba o no que lo hiciera, pero me cohibía, la verdad.

En esto, un violento frenazo del autobús precipitó mi bolso de viaje hacia adelante y, ¡horror!, mi despertador... Sí, mi despertador que iba dentro empezó a sonar con ese sonido estrepitoso y desagradable que tienen todos los despertadores como el mío. Todo el mundo se echó a reír. Todos menos yo...

¿Por qué siempre que me encontraba con ese hombre tenía que hacer el ridículo?

El chisme indiscreto dejó de sonar cuando quiso y yo me sentí un poco más aliviada.

Estábamos ya en Beirechea. Como nadie me esperaba, dejé los paquetes en el bar y con sólo mi bolso me dirigí a casa.

La carretera estaba desierta. Solamente Arive y yo íbamos hacia el pueblo. El unos pasos delante de mí, pero como andaba tan de prisa, pronto lo perdí de vista.

Se estaba poniendo el sol y a mi izquierda veía las imponentes montañas bañadas de rojo. El campanario de la iglesia tenía un aspecto fantástico y poco real, con sus dos campanas gemelas mirándonos aburridas, sin dejar por ello de velar al pueblo que, como siempre, parecía dormido.

El pinar tranquilo y misterioso, los campos donde verdeaba el trigo sembrado en octubre, los nogales y los grandes robles, los chopos tan esbeltos mirándose en el río...

Aquello sí. Aquello sí que era lo mío, porque lo amaba, porque me atraía... El cielo que me cubría, los montes que me abrigaban, el suelo que me sostenía...

Pensé que el mundo era la peana maravillosa sobre la que estaba Dios.

Se me ocurrió que quizá El pensaba en mí cuando creó todo aquello. Tal vez diría entonces: "Aquí pondré este boj, allá el helecho, aquí el rosal silvestre y más lejos el roble, porque un día, por aquí, por este sendero, pasará Muriel y, sin duda, a ella ha de gustarle".

Sí, sería verdad. Por eso se había detenido aquí mucho más que en otros lugares y, además, yo había tenido la suerte de que los hombres no habían tocado toda aquella obra suya.

Alguien me miraba, pero ahora no me importó, no sé por qué. Era Javier. Estaba sentado en la cerca de madera que bordeaba un prado. Fumaba despacio, como si no tuviera ninguna prisa.

—Buenas tardes —dije.

—Buenas tardes —me contestó.

Parecía como si fuera a añadir algo más, pero no pudo. Casi vuelvo a hacer el ridículo otra vez, porque "Nerón", el perro de casa, me había visto y fue tal su alborozo que casi me tira al suelo. Colocó sin ningún respeto sobre mis hombros sus patas delanteras y me humedeció la cara a lengüetazos.

Tras él llegaban los pequeños de la casa: Isabel con mi ahijada en brazos y, mucho más atrás, despacito, despacito, la abuela. Su cabello parecía como una blanca nube desprendida del cielo y sus brazos se alzaban alborozados, dándome la bienvenida.

Cuando salí a mi balcón había anochecido ya. Soplaba un vientecillo delicioso y el cielo estaba tachonado de estrellas brillantes, y para que ya nada faltara, la campana de la iglesia nos anunció el *Angelus.*

Muy lejos se encendió una luz, y recordé que esa misma luz me saludó el día de mi llegada. Aunque yo entonces, ¡pobre e inexperta Muriel!, no comprendí su saludo. Fui tan tonta como para creer que me hacía burla.

Ahora sentía algo muy diferente y me parecía que aquella luz era como esas que se ponen en las habitaciones de los niños para que no sientan miedo si se despiertan por la noche. Su débil resplandor les da seguridad, les hace ser valientes.

La campana dejó de tocar y el pueblo quedó en silencio. Alguien me saludaba ahora con la mano desde abajo.

—¡Muriel! ¡Tú por aquí!

Don José Mari, Ana Mari y Fermín, que volvían juntos de la iglesia, me esperaban.

También Pello y Tomás se alegraron de verme, aunque no me dijeron nada, ocupados como estaban en tomar la hirviente sopa.

—Ha vuelto usted —dijo Pello al terminar.

—Naturalmente. Ya casi han terminado las vacaciones.

—La última maestra que tuvimos se fue por Semana Santa y ya no volvió. Aquélla era demasiada señorita, ¿sabe? Encontró trabajo en un colegio elegante de Vitoria y se fue.

—Pero yo no.

Y entonces me dijo el mayor piropo que jamás salió de sus labios.

—Los chiquitos han rezado por las noches para que volviera... Es que usted... ¡es diferente!

8

NO PUEDO creerlo, Muriel. Por más que me esfuerzo no me cabe en la cabeza —dijo mi hermana aturdida.

Había llegado al pueblo de sorpresa, a traerme lo que ella creyó que sería la mejor de las noticias.

Me habían conseguido trabajo en Pamplona. Se trataba de algo sensacional. Una escuela en un barrio nuevo.

El padre de Carlos había dado un montón de pasos y, al fin, lo había logrado. De momento entraría como maestra, pero él estaba seguro de que, teniendo en cuenta mi expediente académico y la edad de la directora provisional del centro, mi porvenir era muy risueño.

—Y lo que es más importante, Muriel, vivir en Pamplona, estar en casa. Podrás marcharte de aquí, ¿te das cuenta? —Y me sacudía de los hombros como si tratara de despertarme. Yo debía poner una cara de tonta impresionante.

Si aquello me hubiera ocurrido hace un año... ¡Qué feliz me hubiera hecho! Pero ahora, no. Ahora era demasiado tarde.

—Me da pena irme de aquí.

—¿Cómo dices?

—Que no quiero irme de aquí.

—¿Pero estás segura de lo que dices?

—Sí. Para una escuela como esa que dices, habrá cientos de aspirantes y, seguramente, muchas que valdrán más que yo. La que vendría a sustituirme aquí sería una de las que no ha conseguido un buen enchufe para la otra y sólo pensaría en largarse a la primera oportunidad. Yo no sabría decirte por qué, pero he encajado aquí. Me siento necesaria y, aunque te parezca mentira, feliz.

—Pues eso es lo que no comprendo. Que seas feliz en un pueblo como éste y con una gente como ésta. Tú has cambiado mucho.

—¡Claro que he cambiado! Y no creas que me ha costado poco.

—¡Si mamá te viera!

En aquel momento no estaba muy presentable, la verdad. Mi hermana y su novio habían llegado en un mal momento, cuando los *escolanos* y yo, envueltos en barro y cargados con cestas, hacíamos irrupción en el pueblo. Habíamos pasado la mañana en el monte cogiendo setas, que luego el padre de los Nuin se encargaría de vender en el mercado. El producto lo destinaríamos a la biblioteca de la escuela.

—¿No te das cuenta, Muriel, de que éste no es el lugar más adecuado para vivir una chica joven? ¿No ves que aquí no tienes porvenir?

—Cuando hablas de porvenir, ¿te refieres a la dirección de una escuela o a un novio con deportivo amarillo? —le pregunté con muy mala intención, porque ellos habían causado sensación en el pueblo con el coche de Carlos. Era todavía la época en que el simple hecho de tener coche era algo importante. No digamos nada si era deportivo y de color amarillo canario.

—Las dos cosas. No veo por qué no puedo ser franca contigo.

—En este pueblo hay unas cuantas chicas de mi edad. No parecen ser muy desgraciadas.

—Ellas verán lo que hacen. Su porvenir no me preocupa en absoluto.

—A mí, sí —contesté. Y bajé la cabeza avergonzada porque no sabía qué más decir, aunque eran muchas las cosas que se me ocurrían. Los pueblos se iban muriendo porque la gente joven se iba. ¿Por qué ese quererse marchar? ¿Es qué no podían solucionar sus cosas aquí mismo, sin huir a malvivir en las grandes ciudades, para lo que además no estaban en absoluto preparados, y seguir desde allí añorando la casa grande, la huerta y todo lo que dejaron?

—Quiero ser maestra de pueblo —repetí—. Quiero que mis chicos puedan estudiar y tener cultura. Sólo así sabrán elegir su destino. Unos se irán, lo sé, y otros se quedarán. Seguirán en la agricultura, cultivando campos, cuidando ganados, pero serán más felices de lo que son ahora, porque, al haberlo elegido, amarán su trabajo, porque habrán tenido dos opciones y se habrán quedado con la que más les atraía, ¿comprendes? Y yo tengo la esperanza de que puedo aportar algo de mí para que esto ocurra.

—No sé cómo lo haces, pero tengo la impresión de que estoy escuchando a un corazonista. Y no quiero ni pensar en lo que dirá papá cuando le cuente todo esto. ¡Mira que preferir quedarte aquí...! Te penará, estoy segura. Y lo malo es que, seguramente, cuando te arrepientas será demasiado tarde.

—Pues a lo mejor. Pero lo que no voy a hacer es tomar ahora decisiones contrarias a mi forma de pensar, por miedo a arrepentirme algún día. Aquí me creo más necesaria que en ningún otro lugar. Eso es todo.

—Tú no puedes arreglar el mundo. Eso es cosa del gobierno. Que se preocupen ellos de tus aldeanos y de sus añoranzas, y tú de tu carrera.

—Prefiero no pensar en que ha de ser el otro, el que es un poco más listo o un poco más rico, quien tiene que ayudar a los demás. Soy yo, con todas mis limitaciones, la que estoy aquí. Y estoy para algo.

Mi hermana me miró pensativa y, después, se arregló los ojos con un lápiz azul y un espejito diminuto que llevaba en el bolso.

—No sé qué decirte, chica. Me tienes mosca. Hablas de tu responsabilidad con tal engreimiento que no sé si te crees que eres una sabia o una santa.

Me eché a reír.

—Ninguna de las dos cosas, Sylvia. Me parece que lo que piensas es que soy tonta. Sólo quería decirte que no. Que os agradezco mucho, más de lo que puedes imaginar, el interés que habéis puesto en esto. Pero no lo acepto, porque tengo aquí un trabajo que me atrae y estoy contenta. Así que ahora hablemos de otra cosa. ¿Cuándo os casáis?

—No lo sé, porque el verdadero problema son los pisos. Ahora se anda fatal para encontrar uno un poco decente. Pero estamos pensando en uno que está medio acabado. Ascensor y montacargas, calefacción y agua caliente central, cocina eléctrica y de gas... Bueno, algo estupendo, pero carísimo. Menos mal que los padres de Carlos piensan ayudarnos, porque, si no, sería imposible. ¿Bajamos ya?

Oye, sentiría que estuvieras enfadada por lo que te he dicho. Lo he hecho con la mejor voluntad.

—No, mujer. ¿Por qué?

No lo estaba. Pero me había quedado un poco triste. Ni siquiera logré animarme durante la merienda con los chistes de Carlos, que como era muy sociable, hablaba ya con Tomás de berzas y alfalfa, como si fuera lo más corriente.

Cuando mi hermana y su novio desaparecieron dentro del llamativo coche amarillo, sentí un extraño alivio y casi me avergoncé al pensar en que me había sacudido de encima algo molesto.

No sé cuánto rato estuve así, parada en la puerta, con la vista perdida, pero llena de una dulce paz.

Había tomado una decisión casi sin meditarla, espontáneamente, y algo me decía muy dentro de mí que nunca iba a lamentarlo. Me sentí libre.

Había llegado un día a Beirechea orgullosa y segura de mí misma, creyéndome dueña del mundo, y todo por haber tenido unas buenas notas en mis estudios y por haber merecido que el tribunal me felicitase. ¡Qué gran mujer me creía yo!

Hasta me pareció una injusticia que se desaprovechara así mi talento, mis notas, mi test, los elogios de los profesores, que se perdiera todo ello en una pequeña escuela de pueblo.

¡Valiente imbécil! ¿Inteligente yo?

Pero ahora era diferente. Ahora la escuela de Beirechea la había elegido yo. Había rechazado otra de más categoría que me hubiera llevado a ser de nuevo una chica de ciudad, a una vida más cómoda, para quedarme con esta, sucia, vieja y despintada, pero llena de niños en los que yo había volcado ya todo mi cariño y mi entusiasmo.

Eso debe ser lo que siente una mujer después de dar a luz. ¿Qué madre cambiaría a su hijo, aunque fuera un poco feúcho, por otro, por guapo y lucido que fuera?

Y me dispuse a olvidar a mi hermana, a su novio y, sobre todo, su descapotable amarillo.

Pero, claro, ahí no podía parar la cosa. Yo sabía que algo tenía que pasar cuando Sylvia llegara a casa, y eso me tenía muy intrigada.

La respuesta me llegó el domingo siguiente. Regresaba yo de dar un paseo con mis amigas, cuando en la misma puerta de casa me doy de manos a boca con mi padre que, sentado en el banco de la puerta, estaba hablando amigablemente con el cura.

—¿Y mamá? ¿Ha venido también mamá? —le pregunté sin soltarme todavía de su cuello.

Sí. También ella estaba en la casa, merendando en la amplia cocina, alabando la hermosura de los pequeños, contando los kilos que pesó mi hermano Santi al nacer y haciendo mil comentarios sobre la forma en que ahora se cría a los niños. Opinaba que sus nietos, siendo más delgados, eran más fuertes de lo que habíamos sido sus hijos.

La abuela hacía los honores a los hombres, sacando lo mejor de su despensa, y cuando mi padre se dispuso a hacer aprecio del jamón con tomate, en compañía del cura, de Pello y de Tomás, mamá y yo subimos a mi habitación.

—Bueno, mamá —dije con precaución—. ¿Se puede saber qué tonterías os ha ido contando Sylvia?

Ella se echó a reír y miró a su alrededor.

—Bueno... Tú ya la conoces. ¡Todos teníamos tanta ilusión por tenerte en casa de nuevo...! También yo me quedé un poco sorprendida por tu respuesta, pero quiero que sepas que lo que tú hagas me parecerá bien. Por otra parte, te veo tan bien, tan centrada y tan contenta...

Examinó mi cuarto y vi que le gustaba; precisamente ese día lo había arreglado con más esmero que nunca. El cubrecama, obra de la abuela en sus años mozos, era toda una obra de arte; las cortinas de lino con puntillas de ganchillo las había hecho yo misma aquel invierno y sobre la cómoda de roble tenía un vaso con violetas. Yo me sentí muy orgullosa del efecto, aunque procuré que no se me notara.

Por la noche, cuando se despidieron, me quedé mucho más tranquila y animada que tras la visita de Sylvia, porque los vi contentos con mi decisión, aunque les doliera no recuperarme para casa.

La abuela, típicamente pueblerina, les preparó una cesta con fruta y huevos y Pello trajo muy ufano un conejo gordísimo agarrado por las orejas. También Isabel quiso obsequiarles con unas botellas de leche recién ordeñada, ya que mamá se había quejado de que en Pamplona la nata era algo desconocido, llamado a desaparecer.

Y ya con esto, mis padres, que estoy segura de que habían venido convencidos de llevarme con ellos al regreso aunque no me dijeran una palabra de ello, no cesaban en sus alabanzas por todo lo que veían. Entre abrazos y apretones de manos, daban las gracias a todos. Yo nunca me había sentido tan mimada.

—Sigue pues adelante, hija —me dijo papá en voz baja—. Ya sé que estás haciendo un buen trabajo, y aunque nosotros te echemos en falta, nos vamos muy bien impresionados y seguros de dejarte en buenas manos.

Y los dos sonreían contentos desde el taxi en el que habían venido y que los devolvía nuevamente a su casa.

9

HACIA mucho que teníamos planeada aquella excursión, pero por causa del mal tiempo la tuvimos que ir retrasando y, ya en mayo, decidimos que el primer domingo que no lloviera iríamos.

—Mi padre dice que en las cuevas hay pinturas de antiguos pobladores —dijo Mentxu Nuin.

—Entonces, decidido. Ahora mismo iremos a decirle al alcalde que nos preste su carro y las yeguas.

Y maestra y *escolanos* fuimos en comisión a su casa.

Isaías nos recibió simpático. Hasta creo que se sintió halagado de que recordáramos que su carro era el más hermoso del pueblo; y como no lo guardaba en el arca de los papeles, nos dijo que sí en el acto. Además, que hacía ya tiempo que me tenía cierto afecto. Creo que desde aquel día en que le saqué una pajita del ojo con una punta de mi pañuelo.

Ya nos íbamos, cuando se acercó nuevamente a mí y se rascó el cogote pensativo.

—Bueno... ¿y quién va a conducir las yeguas?

—Yo me eché a reír. ¡En eso sí que no habíamos pensado!

Pero no me desanimé y le aseguré que conseguiría un conductor de confianza. Pensé rápidamente en Fermín, que estaba habituado a los animales y al que seguramente no le importaría acompañarnos.

Lo encontré en su casa jugando al mus con su padre y Miguel, que también quiso ir en la excursión; al enterarse, preguntaron si habría sitio en el carro para ellos Ana Mari y otro chico, Santi, veterinario del Valle y futuro novio de mi amiga según me iba pareciendo, ya que no se separaban ni a sol ni a sombra.

Justamente amanecido empezamos los preparativos de marcha, porque con semejante medio de locomoción no podíamos perder mucho tiempo si queríamos llegar a comer a las cuevas.

Metimos todos los bocadillos en un gran cesto y luego nos acomodamos en el carro; nada menos que catorce excursionistas y los mayores, ante la expectación del vecindario que salió a las ventanas para vernos partir. Los niños que por demasiado pequeños no venían, nos decían adiós y algunos se quedaban llorando. Los *escolanos* mayores, más afortunados, agitaban sus pañuelos. Miguel fue el primero en romper a cantar, con una voz estupenda y mejor oído, pero con un total desconocimiento de la letra. Cantaba aquello de *Cojo la vara y mi carro,* que dijo ser lo más apropiado para el momento. Pero había que ver la cantidad de disparates que soltaba:

Cojo la vara y mi carro
y me tiro por las peñas.
No hay venta en que no me pare,
aunque todas son morenas.

A mí, la verdad, me parecía que la jota no era así, pero él estaba tan satisfecho y los chicos se reían tanto, que no quise desilusionarle con mis correcciones.

Cuando llegamos al pie del monte donde estaban las cuevas, dejamos el carro y las yeguas en un bosquecillo y empezamos a subir. Miguel y Fermín iban los primeros señalándonos el camino y cantando a pleno pulmón: *Mañana parto para la Habana,* aunque el médico decía: *Mañana parto para la Haya.* En la vida he visto un hombre tan despistado. Menos mal que como guía no tenía precio. Casi tan bueno como Fermín, y tenía un humor tan envidiable que daba gusto estar a su lado.

A mediodía llegamos a las famosas cuevas. Eran una especie de grietas largas, húmedas, y las pinturas no se veían por ninguna parte.

—¡Aquí están! —gritó de repente Miguel. Y el eco hizo resonar su voz terriblemente. Nos apiñamos a su alrededor tratando de penetrar con nuestros ojos la oscuridad. Al fin, alguien encendió una linterna.

—¿Las veis ahora? —preguntó Fermín.

¡Oh, decepción! Nos mostraba una especie de garabatos que parecían hechos con carbón, iguales a los que un día pintó Iñaki en la cocina, por lo que la abuela le riñó tanto.

Me sentí decepcionada, aunque no dije nada, pero pensaba que cualquiera de mis *escolanos* los hubiera hecho mejor.

Pero estábamos todos de tan buen humor, que hasta el hecho de haberse dejado Ana Mari en casa el abrelatas fue recibido sin protestas. Santi, con muchas ganas de quedar bien, abrió todas las latas con ayuda de su navaja y una piedra.

Ana Mari no se apuró mucho por el incidente y se limitó a sonreír al improvisado camarero, que hacía coro con el médico cantando todo su repertorio.

Todo salió de maravilla; tanto los pequeños como los mayores pasamos un día estupendo y ya anochecía cuando entramos en el pueblo, despeinados, con la cara enrojecida por el sol y el viento.

Sólo al entrar en mi cuarto recordé la máquina de fotos. ¿Dóndc la pude haber metido? Porque en mi mochila no estaba y tampoco en el carro, que buena prisa me di en ir a casa de Isaías para comprobarlo. Y además, la máquina era de mi hermano Jaime que, cuando me la prestó a regañadientes, no me recomendó otra cosa sino que no se la perdiera.

—Pues con el geniecillo que tiene el chico... —pensaba al otro día en la escuela, mientras los niños y yo peleábamos con los verbos.

Más tarde lo recordé: había sacado una foto a Ana Mari y Santi en la ermita que hay a medio camino del monte de las cuevas, y la había dejado en el atrio, encima del banco de piedra, junto a mi jersey gordo. Allí tenían que estar las dos cosas.

En cuanto salimos de la escuela, me puse en camino.

La cosa era bien sencilla. Dejaría la bici en el mismo lugar en que aparcamos el carro y después subiría por el sendero. Pensaba que, yendo yo sola y a buen paso, llegaría en seguida. Además, la tarde era auténticamente primaveral y el paseo se ofrecía delicioso.

—La excesiva calma presagia tormenta —recuerdo que pensé, no sé por qué. Y me quedé aplanada al mirar al cielo y ver que se iban formando unas nubes de color morado. Apresuré el paso cuanto pude.

Empezaron a caer unas gotas gordas. Un relámpago hirió el cielo y se levantó un fuerte viento. Yo sentí miedo al verme sola en medio del monte, que era un lugar prácticamente desconocido para mí, y lamenté no haber pedido a uno de mis *escolanos* que me acompañara. Llovía a mares cuando decidí volver al pueblo sin haber recuperado la máquina de Jaime.

La lluvia se convirtió en granizo y tuve que cobijarme debajo de un árbol. Intenté orientarme por la forma de los montes de alrededor, pero no lo conseguí. Me había perdido.

Volví entonces sobre mis pasos y me vi en un valle por el que el día anterior ni siquiera habíamos pasado.

Eran ya las ocho y media. Pronto sería noche cerrada y yo no sabía volver al pueblo. Me apoyé en un árbol descorazonada.

No sé el tiempo que llevaría así, muerta de frío, cuando de pronto oí:

—¿Qué haces? ¿Te has perdido?

—Sí.

—Pues vas a coger una buena pulmonía como te quedes ahí mucho rato.

Levanté la cabeza y le miré.

—Es que no sé qué hacer.

—¡Pero si eres tú! —dijo Javier. Y ¡qué cosa! Me pareció que se alegraba. Yo lo había conocido en seguida.

—Ven, no estamos muy lejos del pueblo.

Le seguí bajo la lluvia, resbalando, dando tropezones, pero mucho más tranquila.

—¿Quieres que te ayude? —me dijo cuando vio que resbalaba en el barro. Y me ofreció la mano. La agarré como una tabla de salvación. Se iba bien así a su lado y, al estar cerca de él, noté que olía suavemente a campo, a hierba... No; a hierba, no. A semillas de hinojo.

Ahora llovía tanto que casi no se veía.

—Será mejor que esperemos aquí —y me señaló en un claro una de esas bordas donde se guarda el ganado en los montes. Nos cobijamos bajo el alero del tejado.

—No tengas miedo. Es tormenta y pasará en seguida; en un momento estarás en casa.

Y yo sonreí. Sus ojos oscuros me inspiraban confianza y me dispuse a esperar con él.

Me dijo que había ido por allí para avisar al pastor que recogiera el ganado, y me preguntó si estaba sola.

Le conté lo de la excursión del día anterior y que había perdido la máquina fotográfica de mi hermano. El me escuchaba atentamente, y hasta se rió cuando terminé diciendo:

—¡Y tendrías que ver cómo es mi hermano! Me estará recordando que le perdí su máquina incluso cuando los dos seamos ya abuelos.

—Yo también tengo una hermana —me dijo de repente, después de un rato de silencio.

Le miré extrañada. Como confidencia me parecía un poco simple.

—Se llama Marta.

—¿Y por qué no va a la escuela? —pregunté con viveza, recordando los motivos que me habían llevado un día a su casa.

—Es ya una respetable madre de familia.

—¡Pero si mi lista dice que tiene siete años!

—Ahí está el error. No son siete. En todo caso deben ser veintisiete, porque esa edad tendrá, más o menos. Iba a decírtelo aquel día... pero te marchaste corriendo.

Me eché a reír con verdaderas ganas. ¡Ah, las listas de Isaías, el alcalde de Beirechea! ¿Por qué no me quedaría con la del cura?

Ya no volvimos a hablar. La lluvia era mansa y por delante de nuestros pies corría como un riachuelo, arrastrando con él las tiernas hojas que el viento había arrancado de los árboles.

—Creo que ya podemos irnos —me dijo.

¡Qué cosa...! ¿Por qué a mí me daría tanta lástima?

Caminamos por el sendero despacio, como si no tuviéramos ninguna prisa. El me miraba de vez en cuando y hasta me sonreía.

Mi bicicleta, mojada, manchada de barro, me despertó.

—¿Ya hemos llegado? —pregunté.

—Sí. No era tan difícil, ¿verdad?

—Pero yo sola no lo hubiera conseguido. Gracias por ayudarme.

Javier no me contestó nada, pero limpió con su pañuelo el sillín, para que me sentara.

—Quisiera no encontrar ahora una manada de vacas —dije por decir algo. Nunca en la vida me había sentido tan sosa.

Nos dijimos adiós y yo me marché a casa. Me pareció como si en vez de pedalear volara... Me parecía que acababa de ocurrirme lo más bello de la vida y que todo lo de mi alrededor era ahora más bonito.

Me desperté muy contenta al día siguiente, pero sin saber por qué. Luego recordé mi aventura del día anterior y pensé que mi alegría era debida a ello.

Y me sorprendí a mí misma distraída en la escuela.

Me obligué a concentrarme en mi trabajo y hasta me quedé allí después de las seis para corregir los cuadernos de problemas de los mayores. Estaba segura de que si me los llevaba a casa no haría nada.

En la parte trasera teníamos un hermoso prado rodeado por una cerca de troncos. Allí jugaban los niños durante los recreos. Y había una mesa de piedra con un banco, donde solía yo sentarme para verlos jugar, pelear y hacerse nuevamente amigos.

Me senté junto a la mesa con los cuadernos y el lápiz, dispuesta a corregir un buen número de ejercicios.

Aquel sol delicioso, aquel aroma de primavera que me enviaban las lilas que colgaban sobre las ventanas y las puertas me ayudó mucho. Me sentía muy bien y terminé el trabajo casi sin darme cuenta.

¡Vaya sorpresa! Con los brazos apoyados en la cerca, Javier me estaba mirando. Lo hacía con la mayor naturalidad y no se sintió en absoluto cohibido cuando lo cogí *in fraganti.*

Me saludó con la mano y yo me acerqué a él.

—¡Hola! —le dije.

—Te estaba esperando —me contestó. Y sin decir nada más, alargó hacia mí sus manos.

Con ellas me entregaba la cámara fotográfica y mi jersey rojo de ochos.

Me quedé tan sorprendida que no supe ni darle las gracias.

—¿Y has vuelto a subir hasta allí sólo para traerme esto? —pregunté avergonzada.

Me pareció que era guapo, visto así, a la luz del sol. ¿Cómo no me había fijado antes en lo oscuros que eran sus ojos? Y además sonreía con ellos, cuando me contestó:

—Sería terrible que tu hermano te culpara de haberle perdido su máquina, cuando los dos seáis abuelos.

10

AQUEL día se presentaba mal. Lo noté en cuanto pisé la escuela. Ninguno de los mayores había hecho los deberes de casa y me dijeron que no entendían los problemas. Perdimos un rato enorme con ellos, y no pude atender la lectura de los pequeños, que no por pequeños son tontos, y saben en seguida cuándo pueden hacer de las suyas sin que yo me entere.

Los análisis por oraciones eran el caballo de batalla de mi alumnado. Y mira que yo ponía interés en ello... Y en las redacciones, que no había forma de que las hicieran...

"Mi padre trabaja mucho, y por la noche echa la partida de mus en la taberna."

Eso fue todo lo que Mercedes Iparraguirre escribió en su cuaderno con el tema *El trabajo de mi padre.*

—¿Pero no puedes hablar algo más? ¿No puedes decir cómo tu padre prepara la tierra, qué productos son los que siembra, si maneja el tractor, qué cultiva en la huerta, si ordeña las vacas, si lleva los terneros a pastar, si alguna vez esquila las ovejas y cómo prepara el queso?

—Bueno, pues sí. Hace todo eso. Todo el mundo lo sabe.

—No. Todo el mundo, no. Vamos a suponer que yo no lo sé y que me gustaría saberlo.

Con ella estaba en plena polémica, cuando se presentó de improviso la inspectora.

Fue un caso de mala suerte, porque entró en el preciso momento en que Julita y Maite jugaban a cromos a mi espalda, y José Arana, hundida la cabeza bajo la tapa del pupitre, propinaba generosos mordiscos a su bocadillo de chorizo.

Me aterró ver la carrera de tres puntos de ancho que ella llevaba en la media. Una mujer con su aspecto y con un desaguisado así en su media no podía venir en son de paz.

—¿Cómo no desbrozan ese camino? —dijo antes de saludar siquiera.

¡Horror! Encima se debía de haber hecho el estropicio en los aledaños de nuestra escuela. Pensé que el cielo se nos venía encima.

El pescozón que pegó a José hizo que éste, sorprendido, diera un respingo y tres rodajas de excelente chorizo casero salieron disparadas de su boca.

Después, queriendo sin duda ser simpática, cogió de un pellizco por la mejilla a Antxon, y lo puso en pie. Le dijo que estaba segurísima de que él sí que era un niño aplicado y le mandó decir la tabla del siete.

El chico se la sabía. Estoy segura de que se la sabía, pero el pellizco lo había puesto nervioso. Lo dijo todo muy bien hasta llegar al seis, que le salió un siete por seis treinta y seis de lo más inoportuno, y a partir de ese momento no dio pie con bola. Aseguró que nombre común es el que dice la especie de sus unidades, que la capital de Polonia es Berna y que Aníbal era hijo de Almanzor.

Yo me sentía mal. Francamente mal. ¿Por qué

mis chicos que funcionaban aceptablemente conmigo, tenían que decir hoy únicamente disparates?

Salvo algún escaso acierto, nos enteramos de que América se descubrió en 1616, que las conjunciones son *el, la, lo, los, las,* que mapamundi o planisferio es el que no tiene letras y mapa económico el que recoge un continente completo.

La inspectora iba poniendo cada vez peor cara. Creo que ante mi plantel de alumnos llegó a olvidar la carrera de su media, y yo me hubiera escondido, de haber tenido un sitio en que estuviera segura de que nadie iba a encontrarme.

¡Y eso que todavía faltaba lo peor!

¡Horror! Se había encarado con José.

¿Por qué no se fijaría en Teresa Iparraguirre, que me tenía admirada por sus espectaculares progresos? ¿Por qué no llamaría a Matilde, a Txomin o a Iñaki?

No. Tenía que ser a José, y además, hacerle encima una pregunta de historia.

—Este rubio tan simpático sí que tiene que saber lo que voy a preguntarle —dijo amabilísima, eso sí, no puedo negarlo—. Tú sabes que hubo un rey en Castilla, llamado Sancho, que un día fue asesinado en las puertas de Zamora...

José asentía sonriente. Casi, casi, llegué a cobrar confianza.

—¿Sabes quién lo mató?

No. José no se acordaba. No tenía ni idea, pero su rostro saludable y coloradote no se ensombreció. Detrás de él se sentaba Matilde, la primera de la clase.

—¡Sóplame! —le dijo en voz baja, aprovechando que la inspectora se volvía hacia la mesa para consultar la lista.

—Dios mío, que le sople, que le sople —supliqué con una angustia tal que hasta una piedra se hubiera conmovido.

Y Matilde le sopló:

—Bellido Dolfos —le dijo en un susurro.

La inspectora se volvía nuevamente hacia la clase. Yo, más tranquila, respiré hondo.

José se rascó una oreja y luego la otra. Tuve la impresión de que se sentía algo perplejo. ¿Sería sordo el chico? ¡Pero si hasta yo había oído perfectamente lo que Matilde le apuntaba!

Sí. Era sordo, no cabía la menor duda.

—Dos golfos —respondió tranquilamente.

Y, desde luego, de hundirse la escuela, nada... Porque la escuela no se hundió como yo hubiera querido. Siguió en pie, con sus paredes azules, sus huellas de goteras y los viejos pupitres.

La inspectora tenía la cara tan triste como yo.

—Espero que en mi próxima visita, que no me quedará más remedio que hacer pronto, los niños estén mejor preparados —me dijo.

Asentí con la cabeza. Tenía miedo de echarme a llorar si intentaba decir algo.

—Es usted muy joven, ¿no? —me preguntó de improviso.

¡Vaya por Dios! —pensé—. Otra que me encuentra "esmirriada".

—No —contesté en voz alta.

—Pues lo parece... En fin, no quiero que piense que la culpo a usted exclusivamente, pero debe esmerarse con estos chiquillos. Lo necesitan mucho, precisamente porque son tan tontos.

Me revolví como si me hubiera picado una avispa.

—¿Tontos? ¿Dice usted tontos? ¿Llama usted tonto a un chiquillo que sólo con observar el rumbo del viento sabe que no debe dejar sus ovejas en el prado, porque se avecina una tormenta? ¿Sabe usted distinguir el trigo de la avena, antes de que hayan granado? ¿Y que es peligroso cobijarse bajo las encinas durante una tormenta porque atraen el rayo? Ellos sí... Y muchas cosas más... Han sembrado albahaca en las macetas de las ventanas, ¿lo ve? Ahora ya no vienen los mosquitos... ¿Sabría usted amasar y cocer el pan? ¿Y que el eucalipto limpia de parásitos las plumas de las gallinas sin perjudicar a sus polluelos? ¿Saldría airosa de la tarea de ordeñar una vaca? Y si tuviera que aparear conejos, ¿está segura de que no pondría juntos dos machos? ¿Distingue usted los avellanos de cualquier otra rama que crece junto al camino?

La inspectora me miraba pensativa, pero no me interrumpió, y cuando terminé de hablar me puso la mano en el hombro, como si yo también fuera un crío.

—De lo que no cabe duda es de que usted los quiere, y eso es muy importante en una maestra. Pero no olvide que usted está aquí para enseñar y yo para asegurarme de que eso se hace, ¿entendido?

Reconocí que tenía razón y bajé la cabeza avergonzada. Me pareció que era buena, que también ella quería a los niños... Pero ¿por qué, si decía que eran díscolos y que se habían portado mal, tuvo que darles fiesta esa tarde?

Volví a casa tan triste y deprimida que Isabel lo notó.

Le conté todo lo ocurrido, y ella me consoló como pudo. Me dio la razón en cuanto a mi enfado por el asueto de la tarde, pero, a pesar de su buena voluntad, yo me sentía muy desgraciada y aquellas horas sin trabajar se me hicieron eternas.

—¿Por qué no te vas a casa de alguna amiga? —me dijo la abuela cuando me vio bostezar por tercera vez. Estaba sentada en la cocina sin hacer nada, y esto no era habitual en mí.

Sí. Tenía razón. Lo mejor sería que me fuera a casa Goñi. Necesitaba distraerme. Además quería hacer un jersey para María y Ana Mari podía enseñarme algún punto nuevo.

Eran ya casi las ocho cuando entré. Pero todo me iba a salir mal. Mi amiga se había ido y estaba sólo Fermín escribiendo una carta.

—¡Hola! —saludé sentándome en un sillón de mimbre, que yo siempre digo que es mío, porque es muy cómodo. Bueno, como todo lo de esa casa.

—Ana no está —me dijo. Y me pareció que su voz era fría.

—¿Sabes si volverá?

Se encogió de hombros y me dijo que esperara, que quizá volviera en seguida.

Yo me sentía igual de triste, y además parecía como si a Fermín le molestara mi presencia. Su madre estaba con la tía haciendo el pan y no se acercó a la sala... ¿Por qué todo hoy era diferente?

Monté los puntos en una aguja y comencé a trabajar en silencio. No sabía si marcharme o no.

—Te he mentido, Muriel —dijo de repente Fermín. Estaba a mi espalda y agarraba con las dos manos el respaldo de mi sillón.

Levanté la cabeza intentando sonreír... ¡Huy!

¿Por qué Fermín tenía los ojos tan bonitos? No me había fijado nunca.

—¿Qué mentira me has dicho?

—Que mi hermana tal vez volviera en seguida. No volverá hasta mañana. Se marchó ayer a Elizondo a felicitar a la abuela.

—Pues me parece muy bien, pero no veo el motivo de que no me lo dijeras antes.

—Yo, sí. Es que tenía miedo de que te fueras.

—¡Pero si no iba a irme! —protesté débilmente. Tenía mucho miedo. No sé de qué, pero estaba muy asustada.

—Es que yo te quiero, Muriel... ¿No lo has notado?

Sus ojos se ponían más bonitos al mirarme. Se me salieron todos los puntos de una aguja y noté las manos calientes y frías alternativamente. Debí de ponerme como un tomate, y me sentí incapaz de decir una palabra.

—¿No lo sabías, Muriel? —volvió a preguntar con una voz muy dulce, diferente a la que yo le conocía.

—Nooo... —logré decir.

—¿Y tú? ¿No me puedes dar alguna esperanza?

—¿Esperanza? —pregunté en el colmo de la idiotez. Cada vez estaba más triste. Los ojos de Fermín eran luminosos, grises... Llevaba un jersey verde oscuro y se había manchado de tinta en el puño izquierdo.

—Sí —me contestó.

—Creo... Creo que ese tipo de esperanza que tú quieres, no —susurré con unas ganas terribles de huir, de olvidarme de sus ojos. La manchita de tinta empezó a girar ante mí. ¡Qué difícil es pronunciar el monosílabo *no,* y qué duro resulta en los labios de una mujer!

¡Tenía unas ganas de llorar!

Fermín se alejó de mí y tamborileó con los dedos en la superficie de la mesa.

—Oye, Fermín, ¿no podía seguir todo igual que antes? —pregunté. No tenía frío y, sin embargo, me castañeteaban los dientes. ¿Por qué me tenía que ocurrir a mí esto?

—Tú sabes que no —me contestó—. Sería ya imposible seguir así. Dime, ¿por qué no?

—Es que... Es que no te quiero así, Fermín —dije recogiendo rápidamente mis cosas. Luego añadí de corazón—: Lo siento muchísimo.

Salí del cuarto y él me detuvo.

—Quieres a otro, ¿verdad?

—No. No. No lo sé. No.

—Yo sí que lo siento, Muriel.

Me pareció como si quisiéramos consolarnos mutuamente. Abrí la puerta y salí a la calle casi corriendo.

EMPECE a caminar despacio, con las piernas temblorosas, la bolsa de hacer punto bajo el brazo.

¿Por qué tenían que juntarse todas las cosas tristes en un solo día? Primero el fracaso ante la inspectora y ahora Fermín...

Alguien venía detrás de mí. Silbaba tan alegremente que tuve envidia de él.

Volví la cabeza y me encontré con Miguel, el médico.

—¡Hola! ¿Qué hay? —gritó.

Llevaba pantalones vaqueros y jersey azul. Traía al hombro la escopeta y su cartera de cuero en la mano. Resultaba agradable verlo.

Sin dejar de silbar, echó a andar a mi lado y yo, agradecida, pensé que si continuaba así a lo mejor conseguiría animarme.

—Estás tristona, chica. ¿Qué te pasa?

—¿A mí? ¡Nada!

Me dijo que acababa de traer al mundo unos gemelos y que esas cosas siempre le ponían de un humor excelente.

—¿De María Josefa? ¡Qué alegría! ¿Cuándo podré verlos?

Cuando quieras. El padre está deseando enseñarlos.

Se le veía satisfecho del día. Tres o cuatro chiquillos jugaban al fútbol bajo la farola de Casa Arana y se lanzó contra el balón, metiendo un gol magnífico. Luego volvió a mi lado y siguió silbando.

—¿Es tiempo de caza? —pregunté.

—No. Le he llevado la escopeta al nuevo padre, para que entretuviera la espera limpiándomela. Aquí hasta octubre, cuando pasan las palomas, no tenemos nada que hacer. Oye, ¿por qué no te casas conmigo, Muriel? —me preguntó con naturalidad, como si estuviera pidiéndome que lo acompañara a tomar una taza de café.

Me quedé de un pieza. ¿Por qué me tenían que pasar a mí tantas cosas en un solo día?

Ni siquiera contesté. Miré al suelo fijamente. Estaba segura de que ahora tenía fiebre.

—¿No me contestas nada?

—No —susurré muy avergonzada.

—¿Por qué no?

—Porque no.

Ni siquiera tuve el detalle de decirle que era un buen amigo o que me gustaba otro, como suele hacerse en estos casos. Estaba cansada de todo y me daba cuenta de que acababa de perder en un momentos a mis dos mejores amigos. Esto colmaba ya la copa de mi amargura.

—No es que me hiciera demasiadas ilusiones, pero tenía alguna esperanza —me dijo—. ¿No quieres pensarlo mejor? Aunque ahora no me quieras, tal vez más tarde... Yo te enseñaría, Muriel, estoy seguro. No me contestes con un no tan rotundo.

—Sería inútil, Miguel —dijo una voz rara, que no parecía la mía—. Yo te quiero, sí, pero de otra manera. Sería cruel y egoísta por mi parte hacerte esperar, porque sé que siempre te seguiré considerando como un amigo.

—Pues yo te querré siempre. Me conozco y sé que no he de olvidarte... Muriel, si algún día tú llegas a quererme, prométeme que de alguna forma me lo dirás.

—Pero...

—No importa. Prométemelo.

—No puedo, Miguel... Es que no puedo.

Habíamos llegado a la siguiente farola, ya en la esquina de mi casa, y de pronto me miró.

—Oye, ¿qué te pasa? ¡Tú estás enferma!

—¿Yo? ¡Qué cosas dices...!

—Tienes muy mala cara y ojeras. ¿No quieres que entre contigo y te eche un vistazo? Claro, no. No quieres —añadió al ver mi cara de susto.

—Pero si estoy bien.

—No. Yo te digo que no. Algo te pasa. Por lo

menos tómate una aspirina y vete pronto a la cama. Adiós, yo me temo que te seguiré queriendo siempre.

Entré en casa y me senté en silencio en una sillita baja de la cocina. No tenía ganas de hablar ni de hacer nada, pero me asustaba la soledad de mi cuarto.

En la mesa cenaban ya los de casa y dos muchachos vecinos que habían estado ayudando en el campo. Charlaban animadamente, sin fijarse en mí.

—Al que se ve últimamente mucho por aquí es al de Casa Arive —dijo uno.

Escuché interesada. Javier solía pasar todos los días a las seis por la escuela y hablábamos un rato. Yo me encontraba a gusto con él y si algún día no lo veía me parecía el mundo más triste.

—Estará mirando a quién puede engañar ahora —contestó el otro despectivamente—. Se gastó los cuartos del padre haciendo como que estudiaba y después se vino a casa, queriendo cambiar el mundo.

—Sí, pues por aquí... No creo que tropiece con ningún incauto —rió Tomás.

Don José Mari dijo algo de que no hay que juzgar a nadie y menos sin saber las cosas, pero los chicos seguían erre que erre.

—Todo el pueblo sabe que quiso quitarle a Iparraguirre las tierras de la viña.

—¡Quitarle, quitarle! ¿No querrás decir que se las quiso cambiar por otras?

—¡Hombre! ¡Pero para perder él no sería...! Que usted no lo conoce bien, que no sabe de qué casta es... Si hasta la novia lo dejó en vísperas de casarse,

¿no lo sabía? ¿Por qué cree que está tan amargado? Si no habla con nadie...

Me levanté despacito, procurando no llamar la atención, y subí a mi cuarto. Fue la primera vez en mi vida que dormí vestida encima de la cama, con los ojos doloridos de tanto llorar.

Por la mañana me dolía la cabeza y tenía miedo a enfrentarme con el mundo.

—Podría decir que estoy enferma —pensé.

Pero me levanté rápidamente.

Acababa de imaginarme a Miguel entrando en mi cuarto, con su cartera negra bajo el brazo y diciendo alegremente:

—¿Qué es lo que le ocurre a esta chica?

11

A PARTIR de aquel día, todo fue diferente y difícil para mí. Como Ana Mari y Santi se hicieron novios, como Fermín me esquivaba y yo esquivaba a Miguel, me sentí de pronto completamente sola. Había en Beirechea otras cuatro chicas de mi edad con las que congeniaba bien, pero dos tenían ya novio y las otras habían empezado a trabajar fuera del pueblo y sólo volvían de tarde en tarde.

—Lo mejor que podías hacer es "echarte" novio —me dijo don José Mari un día que me encontró en la huerta estudiando. Se sentó frente a mí y me dijo de improviso que le preocupaba mi soledad—. Una chica como tú no debe llevar esta vida, trabajando en la escuela y estudiando los domingos... (Cogió mi libro y lo hojeó distraído.) Me dijiste que estabas haciendo Filosofía, ¿no? Y me parecería muy bien si también hicieras otras cosas, como, por ejemplo, salir de casa y divertirte... Fíjate, yo pensaba que quizá alguno de estos chicos que tanto te acompañaban, Miguel o Fermín... ¡Eh! ¿Qué te pasa?

Yo me había puesto a llorar como una tonta y me daba mucha vergüenza.

El esperó pacientemente a que me serenara y me dijo que no me preocupara por mis lágrimas. Lo que sentía era haberme hecho daño con su indiscreción sobre los chicos.

—Los dos se quieren casar conmigo —musité avergonzada, sin atreverme a mirarle.

Abrió mucho los ojos tras sus gruesas gafas.

—¡Rediez! ¿Los dos? ¿Pero qué has hecho, mujer?

Me encogí de hombros.

—¿Y a ti no...? ¿Ninguno de los dos?

—Ninguno. Los dos me parecen estupendos, pero para amar yo necesito algo más. Y no es sólo eso. Es también la escuela, que creo que no marcha nada bien.

—Eso sí que no. He hablado con muchos padres y todos están encantados contigo.

—No confunda la constancia con la pericia. Una cosa es que yo no haya dado media vuelta, que es lo que ellos temían, y otra muy diferente que lo esté haciendo bien. Creo que he fracasado... Quizá lo mejor es que me vaya.

El cura me miró perplejo. Creo que estaba casi asustado.

—¿Lo estás diciendo en serio?

Asentí.

—Me dejas de piedra. Y además creo que haces mal. Sé que algún día te irás. Te casarás, o quizá encontrarás otro puesto donde puedas realizarte mejor, como se dice ahora. Pero me sorprende que quieras abandonar tu trabajo porque estás triste o porque los chavales no se han lucido ante la inspectora. Tú eres una mujer fuerte, Muriel. No es tu forma de ser dar la espalda a estas cosas, que además son pequeñas cosas...

—Yo he venido a enseñar quién era Bellido Dolfos y, en lugar de eso, me he convencido de que es mucho más importante que haya esencia de eucalipto en los gallineros... —me soné estrepitosamente y luego continué:— No he podido convencer a uno solo de mis *escolanos* de que si estudian, sea cual fuere el trabajo que hagan, lo harán mejor; que el saber les ayudará en él. Siguen y seguirán opinando que las vacas les darán la misma leche, sepan o no conjugar el verbo ordeñar. A veces pienso que tienen razón.

—¡Qué tonta! ¡Qué tonta más grande! Una mujer que piensa, como lo haces tú, puede hacer de estos mocetes lo que quiera, y tú lo vas a conseguir.

—¿Cómo?

—Sin pretender milagros. Despacio, sabiendo esperar. No pienses ahora en la escuela ni en inspectores, que yo sé que lo estás haciendo bien. Me preocupa mucho más tu soledad, ya te lo he dicho antes. Esto puede desmoronarte. Falta muy poco para terminar el curso. Vete de vacaciones, diviértete, haz algo, pero no te quedes metida en casa, y después vuelve. Sólo entonces, después de haber cambiado de ambiente, sabrás si debes seguir o no con esta escuela. Pero no tomes ahora una decisión precipitada.

Obedecí. Aunque sin ilusión, repasé mi bicicleta y todos los domingos me iba al pueblo vecino, donde también tenía amigos, pero seguía echando en falta aquellos primeros días de amistad de Beirechea.

ME ALEGRO mucho la llegada de mi hermano Jaime, que se invitó a pasar unos días con nosotros para reponerse de lo escachado que lo habían dejado los exámenes. (De cuatro asignaturas que se decidió a presentar, sólo había aprobado la educación física.) Me dijo que venía en busca de paz y sosiego, aunque yo creía que lo que quería era zafarse de la cara hosca de la familia en pleno.

De todas formas, su llegada me animó muchísimo. Me trajo un pañuelo de cabeza horroroso, que me tuve que poner todos los días que estuvo para tenerlo contento, y para la escuela, *La Pimpinela Escarlata.* Y en un arranque de millonario, cinco duros para el bote (reuníamos dinero para la compra de libros); claro que luego me recordó los cinco duros en todas sus cartas.

Los dos primeros días todo fue bien. Hicimos una excursión montándonos los dos como pudimos en mi bici y hasta nos bañamos en un recodo del río. Tomamos el sol a placer, porque a los dos nos encantaba, y comimos ciruelas subidos en un árbol.

El sábado y el domingo fueron muy buenos, pero el lunes, como yo trabajaba, para que mi hermano Jaime no se sintiera solo, al cura se le ocurrió invitarlo a una reunión seguida de merienda que tenía con todos los mozos del pueblo y los alrededores, después de unas charlas de espiritualidad que les había dado, y ¡adiós! Me olvidó completamente.

Ya no pensaba más que en los majísimos chicos de Beirechea y sólo se acordaba de su hermana cuando se le caía un botón de la camisa, se le descosían los pantalones o quería prestado mi jersey de monte.

En fin, que mis soñados días felices se esfumaron. Hasta prefería irse con Pello y Tomás a recoger las habas y se apropió definitivamente de mi bicicleta para ir con los chavales de Beirecha a bañarse al río.

Menos mal que se fue pronto.

EL CURSO había teminado y al cerrar la escuela dejé de ver a Javier, y no sé si esto me entristecía o no. No podía olvidar lo que dijeron aquellos chicos de que había gastado el dinero de su padre haciendo como que estudiaba y que a quién querría engañar ahora. Una vez me había dicho que era perito agrícola y yo le creía. Conocía las habladurías y cotilleos del pueblo, las envidias e incomprensiones. Yo estaba convencida de que era una persona inteligente, agradable y buena, y eso me bastaba.

Lo que no podía olvidar era a su novia. El pensar en ella me hacía hasta daño, la verdad.

Pero un buen día hice la maleta, me despedí de los *escolanos,* de la familia, de los amigos y del cura, que me prometió recordarme todos los días en su misa, y volví a tomar el renqueante autobús, lleno de cestas, cajas y paquetes, que me llevaría a la ciudad.

Llegué a tiempo para las fiestas de San Fermín y cómo me recibieron en casa... Mamá me hizo ir rápidamente al dentista y a la peluquería y me compró dos vestidos preciosos. Mis amigas vinieron a casa en cuanto se enteraron de mi llegada y, como tenían muchos planes hechos, sólo tuve que integrarme en ellos.

Pero se ve que yo me había acostumbrado al trabajo. Levantarme de la cama y no tener nada que hacer, más que salir de paseo o ir a la piscina, se me hacía rarísimo, y cuando por la noche llegaba a casa miraba automáticamente buscando los cuadernos para corregir, o el libro de historia o de gramática para preparar la clase del día siguiente. No tenía nada que lavar, porque todo se metía en la lavadora; los zapatos apenas se manchaban y nada me costaba cepillarlos antes de ir a dormir. No es que el descanso me disgustara, pero me sentía extraña y me parecía que yo allí no servía para nada. Nadie me necesitaba y otros trabajaban para mí.

—Por lo menos puedo renovar desde aquí la biblioteca de la escuela —pensé.

Y me puse manos a la obra.

Después de mucho mendigar, conseguí unos poemas de Rabindranath Tagore, cuentos de Andersen, varias novelas de Zane Grey y unas obras completas de Hugo Wast.

La gente estaba de un "roñoso" de dar asco. A tanto llegó mi desilusión que hasta decidí visitar a mi tía Mariana, que vivía en Villava, porque no sabía a quién acudir. Mamá decía que la tía había estado en mi bautizo y que dijo que yo era una criatura hermosísima. Por lo demás, sólo la vi en cuatro o cinco ocasiones, casi siempre en funerales, aunque nos felicitábamos las Pascuas todos los años.

La visita fue casi de novela. Mi tía estaba ya bastante sorda y me costó muchísimo hacerle entender que yo era Muriel, la hija de su sobrino Jaime.

Resultó que, a pesar de las alabanzas que hizo respecto a mi persona el día de mi bautizo, en aquel momento no tenía la menor idea de mi existencia, así que fue bastante embarazoso aquel rato que pasamos las dos sentadas junto a la mesa camilla, en sillas de rígido respaldo de rejilla.

Abundaban los largos silencios y yo no sabía qué hacer para llevar la conversación al tema de los libros. Por otra parte, después de echar un vistazo a mi alrededor, me convencí de que en aquella casa no podía haberlos, y mucho menos infantiles o juveniles, ya que todo rincón o estantería estaba ocupado por una hornacina o capillita con un santo dentro.

De pronto se interesó por la escuela y ya pude llevar el diálogo por los derroteros que a mí me interesaban. Cuando le dije que cualquier libro era para mí de una ayuda extraordinaria, me llevó al polvoriento desván y de allí salí con doce libros curiosísimos. Desde *La buena Juanita,* hasta dos tomos encuadernados de un semanario llamado *Flechas y Pelayos,* pasando por dos libros de Julio Verne, que tenían una fecha de edición anterior a la muerte del escritor, y esto me hizo una ilusión enorme. Estaba tan contenta que los dos besos de despedida que le propiné al marcharme fueron de verdadero afecto.

También ella se debió encariñar conmigo, porque al día siguiente me llamó por teléfono y me pidió que fuera a recoger una cestita de melocotones de su huerto, que me tenía preparada. Aquella tarde yo tenía el proyecto de ir al cine con unos amigos, pero lo dejé. Los dos libros de Julio Verne bien merecían la pena.

Junto con la fruta me aguardaba una gran cantidad de cuadernos de labores, dos cuentos infantiles de una editorial argentina y una serie de botes de pintura de colores. ¿Podría darles alguna utilidad en mi escuela? Al difunto tío Enrique le gustaba pintar y a ella le daba lástima tirarlos. Le dije que sí, que me vendrían muy bien, aunque como eran para pintar a brocha gorda no sabía para qué me podían servir.

Y hasta salió a despedirme a la estación de autobuses.

Me llevaba otro libro. Esta vez se trataba de *La perfecta Cocinera,* y llevaba una fecha de impresión de 1829. Estaba envuelto en papel de periódico y atado con una cintita rosa. Me llamó la atención por su original presentación.

Me retuvo un poco aparte, misteriosa. En ese pueblo adonde yo iba, ¿no habría alguna chica honesta y trabajadora que quisiera ir a su casa? Desde que su fiel María Rosa la había dejado para entrar en el convento, no acertaba con las sirvientas. La última que tuvo era un desastre. Tras una gripe que la retuvo en cama diez días, había encontrado a San Martín de Porres con dos dedos de polvo encima. Ahora se las arreglaba con una asistenta que venía por horas, pero se sentía muy sola, sobre todo a la hora del rosario, sin que nadie respondiera a sus avemarías. Eso era muy penoso para ella.

Le prometí que me enteraría y subí al autobús.

REGRESABA contenta al pueblo con mis libros, con los caramelos para repartir el primer día de clase y con nuevas energías para trabajar. Quería saber en seguida todas las novedades de Beirechea: si mi ahijada tenía todos los dientes, si Isaías mejoraba de aquella herida que tenía en la pierna, si había madurado el moscatel de la parra de casa y si seguían tan guapos y tan llorones los gemelos de María Josefa.

Tomás y los chicos de casa me estaban esperando y con ellos hice el trayecto hasta el pueblo. También el perro salía a mi encuentro ladrando alegremente y la abuela alzaba los brazos en señal de bienvenida.

Isabel trajinaba afanosa en la cocina y me pareció que se sentía orgullosa. Los vecinos podrían comprobar que la maestra que se hospedaba en su casa no se iba. Habría que ver cómo tratarían a las otras sus patronas, para que se fueran tan pronto.

Y realmente yo estaba muy contenta con ellos. Me gustaba el ambiente acogedor de la mesa a la hora de las comidas. Me gustaba que me dijeran aquel *¡buenas noches!* cuando me iba a dormir, tan agradable, tan familiar, que era como un descanso después del día agotador de trabajo.

Como siempre, lo primero que hice después de saludar y de tomar la taza de chocolate fue salir a mi balcón, tan florido, desde donde se dominaba todo el pueblo.

—¡Buenas tardes! —saludó risueño Josetxo Arana, el padre de José. Estaba pintando la fachada de su casa y agitaba hacia mí su mano armada de cepillo.

Lo estuve mirando mientras trabajaba durante un rato. Movía el cepillo con habilidad, arriba, abajo, arriba, abajo... No parecía tan difícil y le quedaba francamente bien. Me pareció que incluso yo sería capaz de hacerlo de una forma aceptable.

La idea comenzó a abrirse camino en mi mente con rapidez.

Yo podía pintar el interior de la escuela en los días que quedaban antes de la apertura de curso. No parecía un trabajo demasiado duro; si alguien me prestaba una escalera... La clase pintada de blanco parecería otra y los niños trabajarían con mayor ilusión. Estaba segura.

Cuanto más lo pensaba, más me atraía la idea. Tenía que empezar en seguida, y en secreto, para que los chicos no se enteraran. Así la sorpresa sería mayor.

Bajé las escaleras de dos en dos y me acerqué a casa de los Arana.

Quería saber dónde podía comprarse la pintura blanca y si Josetxo podía dejarme por algunos días su escalera, si es que no la necesitaba.

Accedió gustoso. Me dejaría la escalera y los cepillos y por la pintura no tenía que preocuparme, porque a él iba a sobrarle una buena cantidad y me la daría. El terminaba de blanquear su casa ese mismo día.

Estaba contenta, sí. Ahora tenía una nueva ilusión: embellecer la escuela. Mis chicos tendrían una clase agradable al empezar el curso y estudiarían con más ilusión.

Estaba de nuevo en Beirechea, en aquel pequeño pueblo al que Dios me había enviado por alguna razón que sólo El sabía, pero para la que me necesitaba a mí. Precisamente a mí.

12

LO PRIMERO que vi al salir de la iglesia fue la escalera y dos grandes cubos de pintura blanca en la puerta de la escuela. Los pasé con cuidado a la clase y miré a mi alrededor. La verdad es que el panorama era desolador. Los años habían dejado profundas huellas y el techo recordaba constantemente que en Beirechea llueve con mucha frecuencia. Sobre todo, iba a ser muy difícil de ocultar la gotera de junto a la ventana.

Pero me propuse a mí misma que no me iba a desanimar. Empezaría en cuanto desayunara y pintaría la escuela, pasara lo que pasara. Después de todo, peor de lo que estaba no iba a quedar.

Ataviada con mis más viejos pantalones y una harapienta camisa, puse manos a la obra.

El primer paso fue como para desanimar a cualquiera. Introduje el cepillo en el cubo y, generosamente empapado, lo pasé enérgicamente por el techo.

¡Zas! Una lluvia de pintura blanca se abatió sin compasión sobre mi cara. Tonetti, el payaso que hacía las delicias de mi niñez, no tenía el rostro tan blanco.

Me lavé y volví a intentarlo. El resultado fue el mismo; menos mal que ahora había tenido la precaución de atarme un pañuelo a la cabeza.

Me senté desalentada en el lado en que había

amontonado las sillas y pupitres y traté de recordar cómo lo hacía Josetxo. Untaba y pintaba, untaba y pintaba... ¡Claro! Pero él lo hacía en una pared, no en el techo. Y volví a subir a la escalera, brocha en ristre.

Aquella vez fui menos generosa con la pintura y me las arreglé mejor. Descubrí que podía dar dos brochazos sin mojarme y que, si seguidamente daba una ligera sacudida a la brocha sobre el cubo, ya no chorreaba nada.

Al cabo de un par de horas vi con satisfacción que el techo azul estaba ya cubierto y que aunque ahora, todavía húmedo, se viera gris, al secarse blanquearía; y no me importaba nada las manos que tuviera que darle, ahora que ya conocía el sistema.

Las paredes fueron coser y cantar. Además, las manchas eran sólo roces o garabatos de lápiz, así que no se mostraban tan rebeldes como las goteras del techo.

Estaba satisfecha, sí, cuando cansada volví a casa a comer.

—Ana Mari y Alicia han venido a verte. Han dicho que volverán por la tarde —me dijo Isabel.

Pero por la tarde tampoco me encontraron. Hacía calor y, como había dejado abiertas las ventanas de la parte trasera de la escuela, la pintura se había secado y pude darle otra mano. Cuando terminé me froté las manos satisfecha. Aquello ya iba teniendo otro aspecto. Sólo aquella inoportuna gotera de junto a la ventana...

Me dediqué a ella de lleno. Le di una, otra, otra, hasta seis capas de blanca pintura. Pero ella seguía allá, erre que erre, emergiendo amarillenta entre la nívea superficie de su alrededor.

La gotera y yo nos habíamos declarado la guerra. Yo estaba dispuesta a vencerla y ella a sobrevivir. Y además, yo ya no me conformaba con dejar la clase algo mejor de lo que estaba. Quería que mi escuela no tuviera un solo defecto.

Al fin, una mañana, no sé cómo, mis ojos tropezaron con la hilera de pequeños botes de pintura que la tía Mariana me había dado y tuve una idea luminosa. Y nunca mejor dicho eso de luminosa.

Tenía también una brocha pequeña que me había prestado Josetxo. Abrí un bote de amarillo-anaranjado y, apretando los dientes con determinación, me encaré con la gotera.

Extendí pintura a placer y, después de un rato, bajé de la escalera para contemplar de lejos mi obra.

¡Había vencido!

Desde el blanco techo y cubriendo por completo la rebelde mancha, un sol amarillo-naranja me sonreía. Sus rayos luminosos se extendían por el techo y también bajaban un poco por la pared.

Quedé tan satisfecha del efecto que me dije a mí misma los mayores piropos y, enfebrecida por el éxito, decidí que tenía allí cuatro limpias paredes para iluminar.

Arboles, flores, mariposas, caracoles, patos... Todo tenía cabida en mi escuela. Lo que no sabía dibujar lo copiaba descaradamente de los libros de cuentos, agrandándolo con cuadrículas, y luego lo coloreaba haciendo uso de aquellos botes de pintura que la tía Mariana me había dado por no tirarlos a la basura.

Sólo tenía una brocha, que lavaba en aguarrás cada vez que tenía que cambiar de color, y también usé para los trazos finos el pincelito de una tintura que la abuela se daba en un callo que tenía en el pie y otro que venía en el frasco del tinte para los zapatos. Con ellos pintaba las semillas de las flores, las antenas de las mariposas y me salían unos ojos muy aceptables.

Como ya he dicho antes, la clase me quedó preciosa. Ni en los primeros momentos de mi euforia como maestra pude soñar nunca que tendría una escuela tan bonita.

Decidí que un repaso a los marcos y contraventanas no le iría tampoco nada mal, porque, como siempre ocurre, ahora que el interior estaba tan bonito, las ventanas parecían deslucidas.

La pintura verde me la proporcionó Isaías, que acababa de pintar su carro y, afortunadamente, no me preguntó para qué la quería. Hubiera sido capaz de prohibirme renovar lo que así les legaron sus abuelos.

Tenía ya poco tiempo, así que empecé en seguida con ese nuevo trabajo, casi con prisa.

También aquello iba a salirme bien. El verde era de un bonito tono y sobre cada ventanillo pinté un corazón anaranjado, que hacía muy infantil y muy acogedor. Parecía como una casa de cuento. Lo malo es que el aguarrás se me había terminado y la brocha estaba un poco dura... ¡También era mala suerte, cuando faltaba tan poco para acabar...!

UN TRACTOR bajaba por la carretera. Ya se había metido el sol y yo quería terminar de pintar el marco de aquella ventana, pero estaba algo cansada.

El tractor se detuvo junto a la cerca y alguien saltó de él. Lo conocí en seguida. El corazón comenzó a golpear alocadamente dentro de mí, pero seguí extendiendo la pintura verde.

—Pero si ya no puedes ver nada —me dijo.

—Es verdad, pero quería terminar hoy esto.

Hacía más de dos meses que no lo veía. Estaba más moreno y me gustó que se quedara allí conmigo.

—¿No tienes una brocha mejor que ésa?

—No. Iba muy bien hasta que se me ha terminado el aguarrás. Como no he podido limpiarla bien, se ha endurecido.

Le miré. Era esa hora en que aún no ha anochecido del todo y todas las cosas se ven más bonitas, con una luz que no es precisamente la del sol, que parece que brota de nosotros mismos.

Cerré con fuerza el bote de pintura y recogí las cosas. Javier lanzó una mirada al interior de la escuela.

—Pero... Pero, ¿ésa es la escuela? ¿La vieja escuela de Beirechea? ¿Cómo has podido hacer algo tan bonito?

Si esperaba con ilusión la llegada de los niños para ver el efecto que les causaba todo, ahora tuve una doble alegría. Nunca, nunca me habían hecho un elogio que me diera mayor placer. El corazón me desbordaba de gozo, hubiera saltado y gritado de alegría, porque a él le gustaba mi escuela.

Y de pronto el hechizo se rompió. Javier me miró muy serio.

—¿Por qué has tenido que venir a un sitio como éste, donde nadie sabrá nunca apreciarte ni agradecerte todo esto?

—Yo creo que todos me quieren. En cuanto a lo demás..., nunca he hecho nada para que me lo agradezcan. He trabajado estos días y he disfrutado haciéndolo. Sé que les gustará a los *escolanos,* y esto es suficiente.

—Te creo, pero seguramente nadie más lo creerá. Todos esos padres, que debían haber pintado ellos mismos la escuela hace ya un montón de años, encontrarán perfectamente natural que lo hayas hecho tú. Incluso alguno pensará que, si lo has hecho, de alguna manera pensarás cobrarlo.

—¿Pero cómo puedes decir eso?

Estaba desolada.

—Porque lo sé. Porque a mí hace ya años que la vida empezó a arañarme... Mira —dijo de pronto señalando el camino de la iglesia. Joaquín Iparraguirre subía cansinamente junto a su carro cargado de heno. Lo seguían Teresa y Mercedes.

—Ahí tienes a uno de tus celosos padres. Te exigirá al máximo como maestra, pero no mandará a sus hijas a la escuela si las necesita para ayudar en la casa... ¿Cómo puede consentir que dos chiquillas trabajen como animales?

—Sólo tiene hijas... Y son pobres —dije dolida.

—¿Pobres? —repitió incrédulo.

¿Es que podía llamarse pobre a un hombre que poseía las tierras que veíamos frente a nosotros y que apenas podían abarcarse con la mirada? No tenía hijos varones, es verdad, pero eso que antes podía ser la desgracia para un labrador, ahora ya no lo era.

—Eso lo dices porque tú tienes una cosechadora y una sembradora —me atreví a decir. Sabía que sus modernas máquinas eran la envidia del pueblo.

—Sí, pero que todavía no he terminado de pagar. No se trata sólo de eso. Es esa especie de mezquindad que todos llevan dentro. ¿Quién se pone a pensar antes de sembrar si es aquello lo que necesita el mercado? El año pasado faltaron pimientos y el que los tenía los vendió muy caros. Este año todo el mundo ha puesto pimientos, y será mayor la oferta que la demanda. El fruto se perderá... ¿Qué les importa además que esta o aquella tierra no sea la adecuada? Y el campo que nos hubiera dado unas habas, un trigo o una avena excelentes, nos dará unos pobres pimientos. Pero claro, si el año pasado algunos se enriquecieron con ellos, este año tratan de enriquecerse todos.

—¿Y no hay alguna forma de llegar a un acuerdo entre todos, de planificar las cosechas, de no hacerse así la guerra unos a otros? —dije. Yo entendía muy poco de los problemas del campo y todo aquello era nuevo para mí.

—¿Planificar? ¿Quién se atrevería a hablar con los hombres de nuestro pueblo para hacerlo? "Si éste viene a decirnos lo que tenemos que sembrar, no será para salir él perdiendo" —dijo imitando a la perfección el hablar malicioso de los viejos de Beirechea—. Hay personas que para ganar algo, siempre creen que ha de perder otro. Ganar todos, cooperando, les parece imposible; sobre todo si se hace desinteresadamente. También yo una vez tuve ilusiones. Soñé con la transformación de un pueblo. Con modernas máquinas con las que sembraríamos y recogeríamos todo entre todos, en una sola semana. Nadie me apoyó. Somos cuarenta y nueve familias y preferimos tener cuarenta y nueve viejas máquinas sembradoras, cuarenta y nueve segadoras, cuarenta y nueve trilladoras. ¿No es ridículo? Pero ellos dijeron: "Las tierras de Arive son llanas. Seguro que quiere traer esas nuevas máquinas porque allí rendirán más. El será el más beneficiado. Nos quiere engañar a todos".

Lo comprendía. Me parecía que tenía razón. Yo quería a los beirechetarras, pero sabía que eran así, tal como me los había pintado: egoístas, desconfiados, y me quedé triste. Hasta olvidé de momento mi flamante escuela.

—Cuánto lo siento —fue lo único que supe decir.

Nos quedamos un rato en silencio. Era ya completamente de noche y yo cerré la puerta de la clase. Javier se fue hacia la carretera.

Llegué hasta él corriendo.

—Pero yo lucharé —le dije con una decisión que no sé si tenía en realidad—. Lucharé desde mi sitio. Todos esos chicos estudiarán y tendrán una cultura, y no serán tan cazurros como sus padres. Porque van a saber que la cabeza no sirve sólo para colgar la boina.

Me miró desde lo alto de su tractor.

—Si alguno de tus chicos estudia no será para quedarse aquí. Huirá del pueblo y su padre lo animará a ello, que para eso se ha sacrificado, no para que malgaste aquí su talento como lo estás haciendo tú. Aunque, seguramente, tú también te irás. Las chicas como tú no se entierran en sitios como éste. A todo lo más que llegan es a casarse con el médico, si es que es joven, y después de un par de años él recuerda de improviso aquella vocación hacia la cirugía estética, que siempre tuvo, y se marchan a Madrid para especializarse.

—¡No me iré! —protesté. Y después, llena de rabia, grité:— ¡Y las chicas como yo se casan con quien quieren! ¿Lo oyes? ¡Con quien quieren!

Y me quedé desolada en la puerta de la escuela más bonita del mundo, diciendo en voz baja:

—Y no me iré. No pienso irme.

DESPUES de esto pensé que ya no lo vería más. Pero me equivoqué, porque al día siguiente volvió.

Estaba pintando cuando oí el tractor, pero hice como que no lo veía. Mas él no debía de guardarme rencor, porque se bajó y saltó la cerca. Yo seguí sin moverme, afanosa en mi tarea, y ni siquiera me volví cuando vi que se acercaba.

Debía de estar muy cerca de mí, porque sentí aquel inconfundible aroma a hinojo que siempre llevaba consigo y que a mí me gustaba tanto. Los latidos de mi corazón casi debían de oírse, y a mí me hubiera gustado que aquel momento no se acabara nunca.

—¿No quieres probar con ésta? —me dijo de repente. Y me mostraba una brocha magnífica, nuevecita y flexible.

—¡Vaya! Es estupenda. Con ésta se puede bordar y todo.

Hasta pena me dio embadurnarla con la pintura de color verde manzana.

Me sentí sorprendida cuando vi que Javier pegaba alrededor de todos los marcos y sobre el cristal una cinta engomada.

—Con esto puedes pintar con más libertad, sin miedo a manchar los cristales. Cuando la pintura esté ya seca, lo quitas.

—Pues tienes razón..., ya ves lo que es la ignorancia. Las otras ventanas me costará mucho limpiarlas. Oye, ¿tienes por casualidad en tu casa aguarrás?

—Sí. También te lo he traído.

Me quedé conmovida y más todavía cuando él, sin decirme una palabra, se puso a pintar a mi lado la otra hoja de la ventana. La escuela me parecía nuevamente alegre, luminosa... Sentí la alegría de vivir, de estar allí en pleno campo, de respirar aquel aire tan puro, de ser joven...

—¿Desde cuándo eres así? —me preguntó de pronto. Llevábamos un rato grande en silencio.

—¿Así? ¿Cómo?

—Pues buena, generosa... ¿Se nace ya así o hay un momento en la vida que te transforma?

Me eché a reír. Era la primera vez en la vida que alguien me llamaba buena y me sorprendió que fuera él precisamente. Me sorprendió y me halagó un poco, no puedo negarlo.

Yo tenía en la escuela una cafetera y un hornillo de alcohol y a media mañana le ofrecí café. Aceptó y aquello me hizo muy feliz.

Nos sentamos a tomarlo en las escaleras de la escuela que daban al prado y aquel momento de intimidad me gustó. Muy cerca debía de haber un pastor, porque se oía la *txirula.*

—¿Tú tocas algo? —le pregunté. Y es que Beirechea era el pueblo más melómano que he conocido. No había familia que no tuviera en su casa guitarra, acordeón o flauta. Hasta Pello y Tomás tocaban el *txistu* y la *txirula* que era una maravilla.

Me sorprendió que tardara tanto en contestar a una pregunta tan simple.

—Sí —dijo al fin.

—¿La guitarra?

—Se había puesto serio. Terriblemente serio. ¿Por qué sería?

—No. El órgano.

Me quedé de una pieza. Aquello eran palabras mayores. Pero no me atreví a hacer ningún comentario. Se veía que no quería hablar de ello, porque se bebió de un trago el café, encendió un cigarrillo y apoyó la espalda en la puerta sin decir palabra. Se me ocurrió, así de pronto, que me había tomado el pelo. ¡Mira que el órgano...!

También yo bebí el café que me quedaba. Me hubiera gustado saber algo de él, pero me parecía poco discreto preguntarle qué era lo que había estudiado antes de volver al pueblo y mucho menos lo de la novia.

Debió de ser un caso de telepatía.

—¿Tienes novio?

—No. Y tú, ¿tienes novia? —después de todo, si él me lo había preguntado, también podía hacerlo yo.

—Tampoco.

Y luego, como en un arranque de buen humor, añadió:

—La tuve. Pero me dejó por malo.

Me saltó la risa. Comprendo que no era lo más oportuno, pero es que yo soy el colmo. Nunca reacciono como debiera, y entonces tuve ganas de reír, porque me había puesto muy contenta.

Pero a él no le importó, porque también se rió.

13

CUANDO finalicé mi trabajo de pintora me sentí realmente satisfecha y deseosa de que llegara el primer día de clase, para ver el efecto que causaba a los chicos.

¿Cómo responderían ellos durante este curso en el estudio? ¿Volverían a la escuela Teresa, Matilde y Alberto, que tenían casi catorce años, o sus padres decidirían que ya había llegado el momento de que se incorporaran al mundo del trabajo?

Ojeé las fichas de la biblioteca, que bajo la supervisión de las dos chicas mayores habían seguido funcionando todo el verano, y me animé. Con no demasiada regularidad, pero casi todos habían leído algo. Y ¿sería posible? ¡Hasta José! El dinámico, simpático y poco estudioso José había sacado de la escuela *De la Tierra a la Luna,* de Julio Verne. ¡Santo Dios! Pero si era increíble... En el cuaderno donde se anotaban las salidas de libros venía su nombre repetido varias veces: *Alrededor de la Luna, Cinco semanas en globo, La vuelta al mundo en ochenta días, El país de las pieles, Veinte mil leguas de viaje submarino...* Se le veía verdaderamente enamorado de la obra de Julio Verne y yo me sentía loca de alegría.

Verdad es que no había rellenado ni una sola ficha, pero esto iba muy en consonancia con el carácter de José Arana, poco disciplinado y algo inconstante. Lo importante, de momento, era que leyera. El resto vendría después.

Estuve con él el domingo al salir de misa y le dije que me sentía muy satisfecha por lo que había aprovechado el verano. Era el *escolano* que más había leído.

Me pareció un poco desconcertado y como deseoso de alejarse de mí, pero no lo solté.

—Me parece estupendo que te guste Julio Verne... ¿Te reíste mucho cuando al llegar a la Luna aparecen las gallinas que había metido el periodista en la nave?

—¡Jo, que sí! —dijo en voz baja.

—¿A que te quedaste hambriento y helado leyendo *Las aventuras del Capitán Hatteras?*

—¡Jo, que sí! —repitió.

—Cuando empieces la escuela rellenaremos juntos las fichas que van con cada libro, ¿quieres?

—Me parece que me está llamando mi madre —dijo de improviso. Y dando media vuelta echó a correr en dirección a su casa.

Me hizo gracia. Parecía como avergonzado de mis elogios y es que el pobre era tan trasto que no estaba muy acostumbrado a ellos. En la clase estaba siempre como ausente. A veces, hasta se dormía.

—¿En qué piensas? —recuerdo que le dije un día que no contestaba a mis preguntas.

—En la vaca. A lo mejor ya habrá parido.

Fue el que más exteriorizó su alegría el día del comienzo de curso, al ver la clase pintada. Sus gritos de entusiasmo se oían por encima de los de los otros chicos, y mira que chillaban todos... Pidió permiso para sentarse en el lado en que había pintados unos conejos y unos árboles, pero días más tarde tuve que cambiarlo de mesa: se pasaba la clase armado de un tirabeque, disparando alubias a los conejos como si estuviera de cacería, haciendo reír a toda la clase.

Su afición a la lectura me iba resultando todo un misterio. El primer día de clase se llevó un libro que devolvió el lunes, y después otro. Pero lo hacía como a escondidas, procurando que yo no lo viera.

Al principio pensé que jugaba a algo. Yo conocía muy bien a mis chicos y sabía que a veces eran espías o ladrones. Cogían el sacapuntas de mi mesa, afilaban sigilosamente sus lápices y volvían a dejarlo con enormes precauciones.

—No es un sacapuntas —me aclaró Fernando cuando le pregunté por qué siempre tenía que esconderse debajo de la mesa y alargar la mano para cogerlo—. Es el plano de una mina de oro. Lo cojo para copiarlo en secreto, sin que se entere el *Tuerto.*

Quizá José jugaba también a robar tesoros. A mí me daba lo mismo. Los niños debían tener imaginación.

Pero un día en que los dos nos quedamos los últimos en la clase, le abordé.

—¿Cómo va la lectura, José?

—Bien.

—¿No quieres tratar de rellenar una ficha?

—No. No sé cómo se hace.

—Pues yo te voy a enseñar. Vamos a sentarnos juntos y lo haremos muy bien. Mira, aquí se pone el título del libro y aquí el nombre de la persona que lo escribió. ¿Ves? Y ahora vamos a decir de qué trata. Cuéntame quién era Miguel Strogoff y qué hacía.

—Pues... me parece que era un granjero, pero no me acuerdo de nada.

Sí, hombre, sí. Era un correo del Zar, que tenía que atravesar el país para llevar un mensaje.

Ah, sí. Eso hizo, sí.

—¿Y qué le hicieron los tártaros?

—Le robaron el mensaje y después le quitaron también el caballo.

—Oye, ¿de verdad has leído el libro?

El chico estaba nervioso, con la cabeza baja y aspecto culpable. Se me cayó el alma a los pies. ¿Sería posible que se llevara un libro cada semana sólo para presumir ante los otros *escolanos* de ser el que més leía? ¿Le haría ilusión, tal vez, ser bibliotecario y quería conseguirlo aún a costa de mentir? No le pegaba nada, ya que era alegre, abierto, sin complejos. Pero entonces, ¿por qué lo hacía?

—Sí. Sí que lo he leído, pero es que se me ha olvidado. Se me olvida todo lo que leo.

—¿Te gustaría ser bibliotecario? —le pregunté para ver si la cosa iba por ese lado.

—Quia. No. Me parece que no lo haría bien. Y además, no tengo tiempo. En casa hemos puesto pollos y una estufa grande para que no tengan frío. Yo me encargo de ellos y me conocen ya y todo. Hay uno negro peor que Judas. Les picotea a los otros para comerse él todo el pienso, pero yo voy y...

Detuvo su entusiasmo y me miró asustado.

—Que es verdad, señorita... Que no, que no he leído ninguno de los libros.

Me dio pena ver sus ojos azules tan bonitos llenos de lágrimas, avergonzado su rostro colorado de chicote sano.

—No es para tanto, José. ¿No los has leído? Pues no importa. Pero ¿por qué te los llevas si no te gusta leer?

—Eso sí que no se lo puedo decir. Mi padre se enfadaría.

Me quedé perpleja. ¿Qué tenía que ver su padre en esto?

Le dije que podía irse y terminé de recoger la clase sin dejar de pensar en él. Cuando salí, lo encontré en la puerta.

—No estará usted enfadada conmigo, ¿verdad?

—Claro que no.

—Entonces, ¿puedo llevarme otro libro?

Ya no supe si reír o llorar. ¿Estaría loco aquel crío?

Y de pronto tuve una idea. ¿Cómo no se me había ocurrido antes?

—Es tu padre quien lee los libros, ¿verdad?

Me miró asustado. Con los ojos redondos como platos.

—¿Quién se lo ha dicho?

—Nadie. Bueno, sí, te diré la verdad. Ha sido tu pollo negro. Ha venido hoy a mi casa y me ha dicho que a tu padre le gusta leer y, sobre todo, los libros de Julio Verne. Pero que tiene que ser un secreto sólo entre nosotros, porque él no quiere que se entere nadie. Anda, tonto, me lo tenías que haber dicho. Entra y coge un libro y no te preocupes, que no diré nada.

Me fui a casa con un nudo en la garganta. No sabía si era de lástima porque mi *escolano* no leía, o de alegría, por saber que había un mayor, un padre, que hacía uso de nuestra biblioteca. Me sentía conmovida pensando en aquel hombrón de Josetxo

Arana leyendo cada domingo a Julio Verne, pero como avergonzado de hacerlo.

Era muy propio de las gentes de Beirechea el considerar la lectura como una pérdida de tiempo. ¿Qué pensarían de él si supieran que pasaba las tardes festivas frente a un libro, cuando podía estar limpiando el establo, regando la huerta o echando una partida de cartas en la taberna, como lo hacían todos los hombres de pelo en pecho?

¿Y qué haría cuando agotara los libros del escritor francés de nuestra biblioteca infantil? ¿Tendría que recurrir a los de Grimm, a los de Enid Blyton o a Karl May?

Durante todo el día estuve pensando en lo mismo. Yo tenía algunos libros, pero ¿cómo podía ofrecérselos sin que se avergonzara? Nunca hablaba con él de este tema, por lo que no tenía oportunidad de darle lo que podía leer... ¿Qué podía hacer?

Al fin se me ocurrió una idea.

Le dije a don José Mari que me trajera al día siguiente su máquina de escribir y redacté una carta para todos los padres, a la que acompañé de una lista de los libros de que disponía.

A partir de ese momento, en la escuela tendríamos también una pequeña biblioteca para mayores, que estaba a disposición de todos. Los mismos niños podrían llevarles el libro que quisieran y devolverlo una vez terminado. Me despedía deseándoles que se animaran a ello.

Hice tantas copias como *escolanos* había y al día siguiente las repartí entre ellos.

No puedo decir que fuera un éxito. Durante dos semanas ni un libro salió de la estantería y mi idea parecía condenada al fracaso. Pero un día Josetxo se animó. Además vino él mismo a la escuela. Empezó preguntando por los estudios de su chico. Me aseguró que no sabía qué hacer con él, porque era de la piel de Satanás, y que no había forma de tenerlo sentado en una silla con el libro delante. En cuanto la madre daba media vuelta, ya estaba en la cuadra, en el gallinero o en el corral.

Por fin, como quien no quiere la cosa, se fijó en los libros. Dijo que no era mala idea aquélla, que el libro siempre instruye, que si él tuviera más tiempo... que tampoco entendía mucho por no ser hombre ilustrado...

—Siempre puede encontrarse un ratillo y esto ayudaría mucho a José. Seguramente se animaría si ve que usted lee, si ve que los libros son cosa seria, de mayores. ¿No le parece?

Vi que se alegraba y titubeaba un poco, sin saber qué hacer.

—Pues vaya... Si es usted tan amable...

—¿Qué tema le gustaría a usted?

—Pues mire, qué quiere... A mí, la historia...

—Estupendo, llévese algo y contagie al chico su afición.

Se fue muy satisfecho con los *Episodios Nacionales,* de Pérez Galdós, bajo el brazo. Además, me gustó que no le importara que lo vieran con un libro por el pueblo.

NINGUNA otra persona mayor hizo nunca uso de la biblioteca, si exceptuamos a Miguel y a don José Mari, que, como ya antes me pedían libros y se los pedía yo a ellos, no podía considerarlos como objetivo de mi idea. Pero Josetxo Arana no dejó un sábado de venir por el escuela. Mi biblioteca tenía un solo lector, pero aún para uno solo ya merecía la pena.

¡Pero lo que son las cosas! El singular José, que nunca leía, nos consiguió de pronto una magnífica enciclopedia del mundo animal y, además, de la forma más curiosa.

La recibí pocos días después de mi charla con él, en un voluminoso paquete, dirigido a la *Señora Maestra de la Escuela de Beirechea (Navarra).*

Los doce volúmenes venían acompañados de una amabilísima carta en que rogaba los aceptara sin cargo alguno, como regalo a los alumnos de mi clase.

Al parecer, habían recibido una conmovedora carta de un niño llamado José, que no decía su apellido ni dirección, en la que les ponía al corriente de todo lo de nuestra biblioteca. Pero se lamentaba de que no tuviéramos ningún libro de animales, que son los que él leería de buena gana. Sabía que su señorita había pedido folletos y comprado libros, con lo que sacaban de vender setas, berros, té y pacharanes, pero nunca traía de animales. ¿Es que eran muy caros? ¿Podrían decirle cuánto costaban?

En mi clase sólo había un José y el hecho de que escribiera una carta y se animara a mandarla por correo y todo me pareció algo extraordinario. Además, una carta tan encantadora, al parecer, que había conmovido el corazón de un editor hasta el punto de hacernos tan valioso regalo.

Me sentí intrigada y también preocupada como

maestra. ¿Cuántas faltas de ortografía habría puesto?

Como todavía no habían llegado a clase los *escolanos,* abrí el pupitre de José. De lo que sí estaba segura es de que era incapaz de hacer una carta sin un previo borrador.

Y lo encontré. Nada menos que diecinueve cuartillas empezadas y después tachadas. Unas por borrones, otras por mala letra o líneas demasiado torcidas. Pero, sin duda, ésa era la carta.

Y no se expresaba mal. Al menos no carecía en absoluto de espontaneidad. Se despedía con un *Respetuosos saludos de José.*

Lo que pasa es (y seguro que eso fue lo que cautivó al director general) que comenzaba sencillamente: *Querida Editorial.*

14

SI NO fueran ustedes tan mezquinos y se pusieran de acuerdo, no ocurrirían estas cosas. ¿A quién se le ocurre sembrar el pueblo entero de pimientos? ¿Cómo van a venderlos ahora?

Había hablado sin querer y ahora me sentía avergonzada, al tener fijos en mí los ojos de la media docena de hombres que estaban en casa.

Yo cosía en un rincón del comedor cuando los oí lamentarse de que el precio del pimiento estaba por los suelos, y me encaré con ellos casi sin darme cuenta.

—¡Pimientos, pimientos, pimientos...! —continuó mi lengua indiscreta por más esfuerzos que yo hacía por pararla. Luego, sin hacerme caso, siguió perorando como una loca:

—Pensar que cuarenta y nueve agricultores no pueden decidir serenamente, sin falsas acusaciones, qué es lo que conviene sembrar cada año, es algo increíble. Bueno, no tan increíble si nos ponemos a pensar que prefieren tener cuarenta y nueve sembradoras, cuarenta y nueve segadoras y cuarenta y nueve trilladoras, y ni una sola de esas modernas máquinas que lo hacen todo casi solas... Bueno, y después de todo, ¿es ésta la tierra idónea para el pimiento?

Desaparecer, que la tierra me tragara... Eso era lo que yo deseaba cuando dejé de hablar. Estaba esperando que Joaquín Iparraguirre me recordara lo de los avellanos y que Tomás me dijera que las hojas de los puerros y las de las cebollas son perfectamente diferenciables, pero no. Se quedaron en silencio, demasiado preocupados por sus campos, sus cosechas y el desastre del pimiento, para hacer callar a una ignorante como yo.

No sé qué me pasaba aquel día. Era domingo y después de unos cuantos días de lluvia salió el sol. Aproveché para dar un paseo y me encontré con Javier.

También él iba despacio por la carretera, con un periódico doblado en la mano y, sin ponernos de acuerdo, empezamos a caminar juntos.

De repente se agachó, cogió un puñado de tierra y después abrió la mano, dejando que cayera entre sus dedos.

No sé por qué, pero aquello me gustó. Me gustó, como me gustaba su forma de mirar y su suave olor a semillas de hinojo, que recordaba el campo.

—Mañana empezaré a sembrar trigo —me dijo.

Como no supe qué decirle, me limité a sonreír. El también me miró. Y no sé por qué, pero creo que entonces brotó en mí aquella extraña locuacidad:

—¿Qué hacías tú antes de enamorarte del campo? —pregunté indiscreta. La verdad es que desde que oyera a los chicos de Beirechea decir algo sobre sus estudios, siempre me preguntaba cuáles habían sido y si verdaderamente los había dejado.

La respuesta no la esperaba, desde luego.

—Música. Sólo música.

Le miré a la cara. No parecía estar tomándome el pelo. Lo había dicho en serio.

—Entonces... ¿Es verdad que tocas el órgano? Pensaba que era una broma.

—¿Broma? ¿Por qué había de serlo? Toco el órgano, el piano y alguna cosa más. O mejor dicho, lo tocaba.

—Pues es raro, ¿no? Quiero decir que habiendo estudiado música te hayas decidido ahora por la agricultura. Vamos, que son dos cosas que no suelen darse juntas, no sé si me entiendes.

—En Beirechea todo el mundo toca algo. Todos salimos músicos espontáneamente, no sé por qué. Lo que pasa es que yo empecé demasiado chico. Teníamos entonces un cura en el pueblo que se fijó en mí y convenció a mi padre de que debía salir de aquí inmediatamente para estudiar. Yo tenía doce años y a los quince había dado conciertos de órgano en unas cuantas catedrales.

Le miré con profundo respeto. Me parecía como si me estuviera contando una fantástica historia. ¿O lo estaría yo soñando?

Nunca se preguntó si aquello le gustaba o no, hasta que volvió a Beirechea al morir su madre. Después de diez años volvía a ponerse en contacto con el pueblo, con el campo, con su tierra.

Comparó la forma de trabajar que aún tenían aquí con lo que había visto en sus viajes por el extranjero y vio que por eso todos seguían tan pobres, aun trabajando al máximo. Le pareció que el campo no estaba organizado, que los labradores tenían unas tierras que valían una fortuna y que no les producían nada. El futuro de sus hijos era o bien seguir el camino de sus padres y vivir tristemente con ellos, o emigrar a las ciudades. La mayoría de los muchachos no volvían al pueblo al terminar el servicio militar, aunque siguieran toda la vida añorando los verdes prados. Beirechea se moría y él pensó que quizá se debía a la poca unión de todas sus gentes para planificar sus cosechas, para comprar maquinaria moderna, para comercializar ellos mismos su producción. Pensaba que incluso podía montarse aquí una industria que diera trabajo a algunos de los que ahora se iban.

—Tenía veintidós años y fui tan tonto como para pensar que mi idea era lo suficientemente buena como para que todo el mundo la hiciera suya y, si embargo, nadie me comprendió. Nadie comprendió que repentinamente la música ya no me dijera nada y que me quedara en el campo. Mi padre no lo podía creer. El, el pobre, como todos los padres de Beirechea, quería para mí algo mejor y creía que ese algo mejor está siempre fuera del pueblo. El se había matado trabajando para que yo pudiera estudiar y soñaba con que yo fuera un señor... ¡Como si él no lo fuera! Como si el que sabe arrancar sabiamente los frutos a la tierra fuera menos noble que el que arranca sonidos armónicos a una caja de madera.

"Murió creyendo que había fracasado conmigo. Y no fracasó. Yo no hubiera pasado nunca, te lo aseguro, de músico mediocre. Sin embargo, gracias a esa música, a esos estudios, me he hecho un buen labrador. Si yo no hubiera salido de aquí, si no hubiera aprendido lo que sé, sería como todos: mezquino, desconfiado... Pero nunca he podido olvidar la amargura de mi padre... Mi hermana también se fue y yo me quedé solo. Solo, sí, porque nadie apoyaba mis proyectos, nadie quería saber nada de máquinas, de cosechas, de industrias, de asociaciones.

"Cada uno en su casa y Dios en la de todos", era su lema. ¡Cuántas veces tuve que oírlo!

"El cura, que creía haberme dado el mejor porvenir del mundo, me llamó su oveja descarriada —rió—, y después me culpó de haber acelerado la muerte de mi padre con mis locuras. ¿Por qué no había pensado antes en lo que quería? Imagínate, a los doce años... ¿Quién sabe a esa edad lo que quiere? ¿Se puede condicionar toda una vida a tocar aceptablemente el piano? La música me gustaba, pero no era la razón de mi vida.

—Pero tú entonces tenías novia, ¿no? ¿Ella no te animaba?

—Sí, tenía novia. Vino conmigo cuando murió mi madre y quedó maravillada al ver esto. Esta paz, esta campo, este silencio... Idílico. Hasta el barro de Beirechea decía que le gustaba. ¿Te gusta a ti el barro?

—¿A mí? Claro que no. Pero tengo unas botas altas y me defiendo muy bien con ellas.

—A ella le gustaba. Deseaba no tener que salir nunca de este paraíso. Pero cuando le dije que no saldría, que mi proyecto era vivir aquí toda la vida, se horrorizó. Me dijo que sería como enterrarse en vida. ¿Cómo podía yo pensar en semejante cosa?

—¿No trataste de convencerla?

—No. De pronto vi que ya no éramos los mismos. Nos habíamos equivocado. Ella quería a un músico, que quizá algún día podría llegar a ser famoso, y ese hombre ya no existía. El de aquí, el de Beirechea, tampoco era el mismo, y yo soñaba ya con una chica sencilla que en nada se parecía a ella. Así que se fue. Después se casó. No le guardo ningún rencor. Se casó con un hombre que podía ser su padre, pero que seguramente será para ella mucho mejor marido que yo. Es curioso —añadió después en voz muy baja—, pero no recuerdo ni cómo era su cara...

—¿Y tú dejaste entonces de tocar?

—Sí.

—¿A pesar del talento que tenías? ¿No te da pena? La música y la tierra son dos cosas que no suelen encontrarse juntas, pero que no son incompatibles.

No me contestó. Seguimos un rato andando y de pronto él se detuvo.

—¿Por qué no dejas esto? —me dijo—. Perderás aquí lo mejor de tu vida y todo seguirá igual. Tus chicos no estudiarán. Seguirán tan mezquinos como sus padres, creyendo ver en cada persona que quiera enseñarles a vivir mejor alguien que pretende aprovecharse de ellos. Y si alguno llega a estudiar no será para quedarse aquí, sino para irse a una ciudad. ¿Cuántos padres que ven en sus hijos una clara inclinación al campo se preocupan de enviarlos a una escuela de capacitación agraria? ¿Sacrificarse para que el muchacho siga en el pueblo? ¡No, por Dios! Si quiere estudiar, que sea ingeniero, farmacéutico, que se prepare para trabajar en un Banco... Pero para la tierra... ¡Para eso no se necesitan estudios!

—Te lo dije ya una vez. Yo desde mi escuela voy a intentarlo y no lo haré pensando en alejarlos de aquí, sino con la esperanza de que, hagan lo que hagan, en el pueblo o en la ciudad, sea con verdadera vocación. Que su camino lo elijan ellos mismos, pero que marchen por él preparados. No seas demoledor conmigo, te lo ruego... Conozco muy bien mis limitaciones y sé que mi influencia es más bien escasa, pero si aquel chico del evangelio que entregó los panes y los peces hubiera pensado que con tan poca cosa no se podía solucionar la comida de cinco mil personas, y que encima él se quedaría con hambre, hubiera comido opíparamente, tras escuchar el sermón de la montaña, pero nos hubiera privado de uno de los mayores milagros de la historia.

ESTABAMOS ya en el pueblo. Nos paramos cerca de la escuela. El no me contestó, pero me pareció pensativo.

—¿Por qué no tratas de acercarte a la gente?

—No me gusta la gente.

—¿Y tocar tu órgano, o tu piano, o lo que sea? La música no sería la razón de tu vida, pero sería un buen complemento para ella. ¿No crees?

—No me gusta la música.

—Tienes que pensarlo.

—No me gusta pensar.

—No te gusta la gente, no te gusta la música, no te gusta pensar... ¿Es que hay algo en la vida que te guste?

Inclinó la cabeza hasta que su cara quedó a la altura de la mía y me miró de frente:

—Me gustan tus ojos, Muriel.

Sentí una oleada de calor en la cara. Estaba segura de haberme puesto como un tomate, y me dio vergüenza que él lo notara. Bajé bruscamente la cabeza, horrorizada, porque los ojos se me llenaban de lágrimas. Javier me miró extrañado. Creo que estaba sorprendido.

—Perdona —me dijo al fin.

Yo nada tenía que perdonar... ¿Qué mujer se sentiría ofendida por algo así? Pero la sorpresa me había dejado paralizada. Porque habíamos hablado de muchas cosas. Creo que éramos buenos amigos, pero nunca me había dicho ni siquiera si le parecía mona.

PERO MIRA por dónde aquella mañana iba yo a cambiar mucho.

Mi primera reacción fue la de encararme con los hombres cuando les oí quejarse por el desastre de los pimientos. Y, además, con el agravante de que estaba dispuesta a seguir haciéndolo en adelante. Y es que de repente me sentí como desequilibrada. Defendía ante Javier Arive a los del pueblo, achacando su tozudez a su falta de formación de la que no eran en absoluto culpables. Culpables eran los mejor dotados que no habían puesto el menor interés en enseñarles. Y es que yo, como los quería tanto, sabía que era así.

Pero sin embargo, cuando estaba con ellos aprovechaba cualquier ocasión para ponerlos de vuelta y media, repitiéndoles todo lo que él me decía respecto a los problemas del campo, asunto del que yo encima no entendía nada. Procuraba cerrar los ojos al hacerlo, para no ver la mirada dolida de Isabel y Pello, que no comprendían que los censurara tanto.

—Si mi hijo quisiera estudiar, hasta la carrera de médico había de darle —dijo un día Josetxo Arana—. Todo, menos que tenga que trabajar como su padre.

—Pues vistas las aficiones del chaval, que no piensa más que en los terneros, en los cerdos y en las gallinas, sería mucho mejor que pensara usted en que tiene inmejorables cualidades para ser un buen veterinario.

—¿Y pasarse la vida en un pueblo? ¡Quia!

—Naturalmente. La vida en un pueblo es estupenda si se sabe vivir. Vivir y trabajar. Pero ustedes, por no fiarse de nadie, no han sido capaces de hacer ni la concentración parcelaria.

Don José Mari hacía días que no me quitaba ojo. Yo ya lo había notado.

—Me parece que tú sabes algo más que geometría —me dijo.

Pero yo ya no lo escuchaba. Estaba preguntándome si no debería cambiarme de peinado. Hacía varios años que llevaba el mismo. Quizá debería cortarme el pelo o dejarme flequillo... Pero ante el espejo de mi cuarto no podía tomar una decisión. Además, no me veía los ojos en él de ninguna manera. Era un desastre.

Aquella misma noche, y con ayuda de unas tijeras, separé el espejo de su marco, y dibujé un patrón en un papel de periódico. ¡Ya estaba bien, hombre! ¡Mira que no tener un espejo decente en la casa...! Pues como que sí, como que no, que yo llevaba un año peinándome a tientas.

Me lo trajo Isaías, el alcalde, que había ido a Pamplona y no tuvo inconveniente en hacerme el encargo. Lo malo es que me lo entregó en la cocina, en presencia de no sé cuánta gente, y aquello me avergonzó un poco. ¡Hombre, que tampoco hacía falta que se enterara todo el pueblo de que yo tenía un espejo nuevo...!

—Es el del lavabo de mi cuarto —dije. Y añadí casi sin darme cuenta:

—El otro estaba tan estropeado que no hay forma de verse el ojo ni para ponerse una lentilla.

Miguel, que había entrado en la cocina después de ver a Iñaki que tenía la varicela, me miró al fondo de los ojos, como si estuviera ante un microscopio.

—¿Pero tú usas lentillas, Muriel?

Me quedé de una pieza. ¿Por qué diría yo una ridiculez semejante?

—No. Claro que no... ¿Pero quién me dice a mí que no las voy a necesitar dentro de unos años?

Y después de tan filosófica respuesta, pedí a Tomás que encajara el espejo en el marco y lo sujetara con unos clavitos.

Parece mentira, pero dentro de aquella tristeza interior que sentía, porque no podía olvidar la amarga historia de Javier, me estaba volviendo un tanto frívola. Era evidente. Lo que me extrañaba es que nadie lo notara; al menos no me lo dijeron, y eso que yo me encontraba favorecida.

Pero nada... ¡Que nadie en el pueblo se fijó en que yo me había cambiado de lado la raya del pelo!

15

DE TODAS formas, tuve que olvidar pronto mi coquetería porque se me presentó el primer gran problema en la escuela.

Acababa de llegar con el propósito de preparar dibujos para los más pequeños, cuando se abrió de nuevo la puerta y entró Teresa Iparraguirre. Hacía ya días que había empezado el curso y era la primera vez que venía.

—Mi padre dice que tengo que dejar la escuela.

—Lo siento mucho, Teresa. Pero, en fin, ya tienes catorce años. Lo único que quiero pedirte es que estudies, aunque sea un rato cada noche. Te daré libros, y además puedes venir a mi casa siempre que quieras que te ayude o te explique algo.

Se me rompía el corazón, porque Teresa en poco tiempo había hecho un avance espectacular, pasando a ser mi mejor alumna; y yo sabía que le sería imposible estudiar sin ir a la escuela.

Pero ella me miró de una forma rara. La encontré diferente, no sé por qué.

—Es que quiero seguir estudiando —dijo con determinación—. Tiene que ayudarme.

Sentí como si el cielo se abriera ante mí. ¡La primera! Aquella niña de cara delgada, ojos claros y apretadas trenzas negras, no podía imaginarse lo que aquello significaba para mí.

—¿Y qué piensan tus padres?

—No les he dicho nada. Primero quiero saber qué puedo hacer.

Comencé las gestiones tan pronto salí de la escuela y mi primer paso lo di muy alto. Llamé directamente a Martín Lecumberri, futuro suegro de mi hermana, que estaba muy introducido en el mundo de la enseñanza. Me atendió simpatiquísimo.

—¿Que si una alumna tuya puede presentarse a cuatro cursos de bachillerato y reválida en la primera convocatoria? No es muy corriente, pero no creo que haya ninguna ley que lo prohíba, si ella se atreve; pero el caso es que aunque aún no se han celebrado los exámenes para los alumnos por libre, ya hace tiempo que se ha cerrado la matrícula. Tendrá que esperar a los de junio.

Mi voz debió sonar tan consternada, que él notó mi angustia.

—Bueno... Pues el caso es... ¿Se trata de alguna alumna muy especial?

—Claro que sí... No espero que haga ahora nada por encima de cualquier otra chica de su edad, pero lo extraordinario es que hace un año estaba muy por debajo y estoy segura de que seguirá superándose de una forma excepcional. Si lo deja, aparte de que me temo que encuentre serias dificultades para seguir estudiando, sería perder un año.

—Ya... Mira, voy a solucionarlo... La voy a matricular mañana mismo. Dame sus datos y mándame rápidamente las fotos y los documentos. Pero no se lo cuentes a nadie, ¿eh? Y recuerda que la chica tiene que estar aquí el lunes que viene.

Nunca en la vida me he sentido tan agradecida. Corrí a contárselo a Teresa.

—Hoy mismo se lo diré a mi padre —me dijo. Pero me pareció que tenía miedo.

Volvió al otro día. Había llorado y parecía desalentada.

—No quiere que vaya. Todavía no ha empezado a sembrar y me necesita.

—Yo hablaré con él. Estoy segura de que lo convenceré —dije con una seguridad que en modo alguno sentía. ¡Pues menudo genio tenía Joaquín Iparraguirre! ¡Que me lo dijeran a mí el día que le destrocé los avellanos!

Y no. No lo convencí. Creo que incluso fue peor. Estoy segura de que yo no le caía bien y no solamente por lo de los maltrechos avellanos. Me acusó de haber llenado de pájaros las cabezas de sus hijas con las dichosas lecturas.

—Pasatiempos de ricos —censuró—. Nosotros somos pobres y éstas saben que no pueden pretender estudios. La chica ha ido hasta ahora a la escuela y es todo lo que yo puedo darle. No le llene usted la cabeza con sueños locos, que ya tiene edad de trabajar y la madre la necesita.

Teresa, sentada en una silla de la cocina y con la cara oculta entre las manos, lloraba silenciosamente. Su madre la miraba tristemente y luego se encaró con el marido:

—Joaquín... Yo creo que podría arreglarme sin ella. Déjala que siga estudiando.

—¿Y la siembra, qué? Y el dinero que se necesitaría para mandar a la chica a Pamplona, ¿de dónde saldría? Ya oyes lo que dice la maestra, que si quiere seguir estudiando ya no basta con la escuela, tendría que salir del pueblo, ir a Pamplona. Allá necesitará posada, y eso se paga. Y la ropa... Porque la chica no tiene abrigo. Ayer mismo lo dijiste, ¿no? ¿Te gustaría que tu hija saliese de casa sin abrigo?

Yo seguía insistiendo. Encontraríamos una solución para el hospedaje si Teresa aprobaba aquellos primeros exámenes que, después de todo, eran sólo el primer paso. Yo tenía dos abrigos y le podía regalar uno. Y también un vestido. Y un jersey si lo necesitaba.

—¡No! —tronó amenazador.

El no quería limosnas. El tenía su trabajo. Trabajo pobre, pero honrado. No necesitaba caridad de nadie. Cada uno debe pacer donde nace y la vida de su hija estaba irremisiblemente en el pueblo. Tenía ya edad para ganarse el corrusco y las tierras del padre se lo darían. Así que lo mejor que podía hacer yo era ocuparme de mis asuntos y dejarles en paz.

Me dedicó una galantería que jamás había tenido conmigo. Me abrió la puerta para que me fuera.

SALI de aquella casa descorazonada, pero pensando en que aún se podía hacer algo. Busqué a don José Mari.

—Usted tiene influencia con Joaquín —le dije esperanzada—. Háblele, dígale lo que sea, pero convénzalo para que su hija estudie. Después de lo que hizo en la escuela el último trimestre del curso pasado, estoy convencida de que merecerá la pena cualquier esfuerzo que se haga.

Me prometió hablar con él.

Pero la respuesta volvió a ser negativa.

—Jamás he tropezado con un hombre tan cabezón. La madre y la hija han terminado llorando. Y el caso es que no parece imposible que cambie de parecer. Si no estuviera por medio la siembra... Si tuviéramos un poco más de tiempo... Estoy seguro de que es el trabajo lo único que le apura.

¡Qué amanecer dominical tan triste! ¿Por qué nadie se daba cuenta en la iglesia de los ojos enrojecidos de Teresa y de su madre? Yo no hacía más que sonarme y Joaquín cantaba mucho más alto que otras veces, como si quisiera demostrarnos que él, y nadie más que él, tenía la razón.

La misa terminó y todos fueron saliendo de la iglesia, pero yo no los seguí. Llevaba mucho rato intentando contener las lágrimas y ya no podía más. Después de tanta ilusión, de tanto esfuerzo, ahora...

Tenía ya el pañuelo tan mojado que me tuve que limpiar las lágrimas con la manga de la chaqueta. Al moverme me pareció que alguien se había arrodillado a mi lado y sentí un agradable aroma a campo. No, a campo, no; a semillas de hinojo.

¿Hinojo?

Abrí los ojos inmediatamente.

—¿Qué te pasa? —me preguntó Javier en voz baja.

Hablé atropelladamente:

—Es por Teresa Iparraguirre —le dije—. Ella quiere estudiar y su padre no le deja. Dice que tiene mucho trabajo, que todos están terminando ya de sembrar y que él todavía no ha empezado... Necesita a las chicas... Y ella es la mayor de las cuatro hermanas... Ha estudiado tanto... Se ha matado, pero total para nada.

El pañuelo ya no servía gran cosa, pero, a pesar de todo, me soné.

En la iglesia había un armonio. Viejo y destartalado como casi todo el pueblo y Javier se había acercado a él.

Y de pronto aquel trasto que nadie tocaba nunca empezó a sonar. ¡Y de qué manera! ¿Sería posible que de una cosa así pudiera salir algo tan maravilloso? Me quedé con la boca abierta y las lágrimas se me fueron secando sin darme cuenta.

Pero el sueño cesó como había empezado. La iglesia quedó en silencio y yo me vi repentinamente sola. Javier se había ido.

SALI yo también despacio y bajé el sendero como si estuviera dormida. Me costaba trabajo arrastrar los pies y tuve que sentarme en el banco, junto al lavadero.

—¿Estaré enferma? —pensé sintiéndome mareada. Y me quedé allí muy quieta no sé cuanto tiempo.

Unos gritos me hicieron abrir los ojos. Teresa venía corriendo hacia mí. Agitaba los brazos alborozada.

—¡Voy a estudiar! ¡Voy a estudiar! —gritaba—. ¡Mi padre me deja!

No podía creerlo.

—¡Es verdad, es verdad! ¡Puedo ir!

—¿Pero qué es lo que ha hecho cambiar de opinión a tu padre?

Algo rarísimo. El de Casa Arive había ido a su

casa. Había entrado en el establo donde su padre ordeñaba la vaca y le había dicho:

—He oído que su chica quiere irse a estudiar y que usted no la deja porque le urge sembrar. Yo puedo hacerlo en tres o cuatro días con mi máquina. ¿Qué decide?

Y el padre dijo que sí.

Era orgulloso, tenía mal genio, le agobiaba el trabajo, pero era un buen padre y no podía menos que sentir dolor ante la pena de su hija y el silencio amargo de su mujer.

Empezamos rápidamente los preparativos. Mi madre la tendría en casa los diez días que pasara en Pamplona para estos primeros exámenes y después, si aprobaba... Si aprobaba...

¡La tía Mariana!

¿Pero cómo pude olvidar yo a una mujer tan estupenda?

Teresa podía vivir en su casa y ayudarle en las faenas domésticas. En ese caso haría el bachillerato nocturno, y yo estaba segura de que viviendo con mi tía, le quedaría tiempo por las tardes para estudiar. Muchas compañeras mías habían resuelto de esa forma su hospedaje, y sería una buena solución para mi alumna, porque además ganaría algún dinero para poder pagarse los estudios y sus pequeños gastos.

La verdad es que Teresa sólo tenía catorce años, pero tenía también esa innata madurez que da a las chicas de pueblo el contacto con el más duro trabajo desde la infancia. Así que llamé inmediatamente a mi tía.

En seguida llegamos a un acuerdo. El plan le parecía estupendo y además llegaba en un buen momento. Aquella asistenta que tenía por horas le había hecho algo monstruoso: había decapitado con el plumero a San Esteban. Pero no era eso lo que le dolía, ya que una cosa así le puede ocurrir a cualquiera. Lo terrible fue que la cruel iconoclasta, creyéndose sola en la estancia, había dicho en voz alta: "¡Uno menos!" ¿No era indignante?

Tan pronto colgó el teléfono, corrí a casa de los Iparraguirre a darles la noticia.

La madre respiró aliviada cuando le dije que su hija caía en tan buenas manos. Lo del rezo del rosario le pareció lo mejor. Joaquín asintió en silencio y Teresa me preguntó preocupada si creía que ella sabría hacer las cosas a gusto de mi tía.

—Tú mantén libre de polvo a San Martín de Porres y procura que no se apague la lamparita de la Virgen del Carmen. Lo demás será para ti coser y cantar.

El padre levantó la cabeza cuando ya me iba:

—No se olvide del abrigo —me dijo en un susurro.

Yo asentí. Aquel día no me abrió la puerta y yo me sentí feliz.

16

EN UN lugar como Beirechea, las noticias corren como el viento y la de que Arive estaba sembrando con su máquina las tierras de los Iparraguirre cayó como una bomba.

Pero lo que son las cosas: antes todo el mundo hablaba mal de Javier; sus esfuerzos por cambiar el sistema de trabajo en el campo habían sido acogidos con desconfianza, peor aún, con hostilidad. Había sido acusado de querer beneficiarse del esfuerzo común y, sin embargo, ahora era Joaquín Iparraguirre quien salía malparado en las críticas.

—También ése... Ya se necesita atrevimiento, ir ahora a pedirle que le ayude, después de lo que le hizo antes con la viña —oí que decía Isaías. Yo estaba dentro de la casa, pero como la ventana era de la planta baja, me asomé provista de una jarra de agua para regar los tiestos.

Pello, Tomás, Isaías y otros dos hombres del pueblo estaban sentados en el banco, con sendos vasos de vino en la mano.

—¿Qué pasó con la viña? —pregunté, aunque nadie me invitaba a conversar.

—Pues nada, que ese Arive había ido juntando tierras allá arriba, detrás de su casa. Cambiaba, compraba, vendía, qué sé yo... Antes estuvo en el extranjero y decía que allá las haciendas eran grandes y que se trabajaba mejor así. Que si era perder el tiempo segar hoy aquí y mañana allá... Bueno, ¡vaya usted a saber por qué lo hacía...! Pues Joaquín tiene allá una pieza, la viña que le decimos, y que vino a quedar dentro de las tierras de Arive. Parece ser que tenía mucho empeño en comprarla o cambiarla por otra, porque si no tenía que segar mucho camino a mano para poder meter la máquina, porque él compró máquinas modernas, ¿sabe? Pero Joaquín nunca quiso y eso que, como le viene lejos, nunca la siembra. Pero nada, que no quiere soltarla, y mire que el otro le hizo buenas ofertas...

Me retiré de la ventana triste... ¿Y Javier había olvidado todo aquello para ir a ayudarle?

Los hombres seguían hablando. Me pareció que más que repentino afecto por Javier, sentían una envidia casi infantil de Joaquín Iparraguirre, que había sembrado trigo, centeno, maíz, cebada y no sé cuántas cosas más, y que habiendo empezado más tarde que ellos iba a terminar antes. Y sobre todo, porque lo estaba haciendo con una sembradora.

SUBI a mi habitación. Llevaba unos días desasosegada y no era sólo por Teresa. Es curioso, pero en ningún momento pensé que podía suspender. Me sentía muy segura de ella.

Es que no veía a Javier y me hubiera gustado darle las gracias. No cesaba de pensar en nuestro encuentro en la iglesia, lugar en donde no esperaba verlo, ni en aquel inolvidable momento en que hizo sonar, revivir, el viejo armonio, casi sin darse cuenta.

Yo sabía que estaba muy ocupado sembrando con Joaquín, pero deseaba con toda mi alma verlo, hablar con él, aunque sólo fuera un momento.

El regreso de Teresa me obligó a dejar de lado mis preocupaciones. Venía radiante, con un notable. Se había matriculado ya para continuar en el Instituto y quería volver a Pamplona en seguida.

No le importó hacerlo en el primer día de las fiestas del pueblo, con lo que éstas gustan a las chicas. No quería perder un solo día de clase.

Su madre, sus hermanas, sus amigas y yo la acompañamos al autobús.

El padre la había despedido en casa con un abrazo, ocultando malamente su emoción.

—Estudia mucho, hija —le dijo con tono de orgullo en la voz—, y escribe pronto. Cuando vaya a Pamplona me acercaré a Villava para verte.

A punto ya de arrancar el destartalado autobús, apareció también don José Mari, que no quería perderse la despedida.

—Este es tu primer fruto, Muriel —me dijo—. Quizá dentro de poco tiempo sólo quedemos aquí el médico, la maestra y el cura, que somos los forasteros.

—Quisiera que dentro de poco, el médico, el cura y la maestra fueran beirechetarras —le contesté.

Sonrió. Parecía muy contento.

—¿Tienes alguna otra tía? —me preguntó de pronto.

—No. ¿Por qué?

—Me parece que tendremos que ir buscándolas, porque pronto las vamos a necesitar. Mira a las hermanas.

Lo hice así. Mercedes, María y Regina Iparraguirre contemplaban a Teresa con una mezcla de orgullo y envidia.

Las tres tenían el rostro delgado, idénticas trenzas negras, iguales ojos verdes claros y el mismo mentón voluntarioso.

Sí. Don José Mari tenía razón. Estaba segura de que al año próximo sería Mercedes quien se iría a estudiar y la seguiría María y, más tarde, Regina...

¿Por qué precisamente ellas, que jamás habían recibido aliento en su casa para ello?

Volví a casa despacio, contenta...

Sentía mucho que Javier no supiera que, gracias a él, Teresa seguiría estudiando... Me gustaría tanto decírselo, contarle lo contenta que se había ido, la ilusión que tenía...

Tal vez yo debería ir...

No sé cómo brotó esa idea en mí. Quería verle para que supiera lo agradecida que estaba, y si él no venía al pueblo, yo sabía donde vivía. Hoy era fiesta, no trabajaría y, sin duda alguna, lo podría encontrar.

Alargué el paso. Era ya media mañana y lucía un sol débil, pero agradable. Las hojas secas crujían cuando las pisaba y olían deliciosamente a otoño. Un bosque de castaños me hizo pensar en que podía ir el domingo con los *escolanos* a coger unos cuantos sacos de castañas. Alguien nos las vendería en el mercado y compraríamos más libros. Habíamos vendido ya setas de mayo, pacharanes, té de monte, berros y hasta una docena de palomas que nos regaló Miguel después de la pasa.

La casa seguía allí, más bella que nunca, entre los árboles de hojas amarillas. No sé por qué, pero de pronto había sentido miedo de que ya no estuviera.

La puerta estaba abierta, pero llamé.

Llamé y, como aquel día, nadie me respondió.

Esperé un momento y por fin me decidí a entrar.

Nada había cambiado, como no fuera que los membrillos eran ahora olorosas manzanas rojas. La puerta del fondo, también abierta, dejaba ver aquel prado de frutales, y el suelo alfombrado de hojas de color dorado lo hacía tan bello que casi, casi, contuve la respiración, por miedo a que algo de aquel lugar se estropeara.

En el arca de la entrada había unos calcetines arrugados de color gris. Me pregunté si no serían los mismos de hacía casi un año.

En el piso alto, casi sobre mi cabeza, se oyeron unos pasos fuertes y yo me sentí invadida de terrible vergüenza. Me pareció que había hecho mal en ir y me confesé a mí misma que me había impulsado más el deseo de volver a verlo que mi deber de darle las gracias por su ayuda.

Los pasos sonaban ya en la ancha escalera de madera, estaban muy cerca y yo sentí el impulso de marcharme antes de que me viera.

Pero ya era tarde. El estaba allí, en el primer tramo de la escalera. Bajaba de prisa, abrochándose los puños de la camisa.

No esperaba encontrarme allí, desde luego. Se quedó parado en el primer escalón, mirándome un momento.

—Muriel —dijo solamente. Y mi nombre me pareció bonito.

—He venido a darte las gracias.

HE DICHO que nada había cambiado en la casa, pero me he equivocado. Había cambiado él. Lo noté cuando vi que sus ojos se fijaban en los calcetines del arca. Se acercó a ella dando unos pasos de espalda y, creyendo sin duda que yo no me daba cuenta, los cogió con rapidez y los ocultó en el bolsillo trasero de su pantalón.

Aquel gesto con el que me quería ocultar el desorden de su casa me conmovió.

—¿Las gracias? —me preguntó al fin.

—Sí. Gracias a ti, una chica de mi escuela estudiará, y yo estoy tan contenta que no sé cómo decírtelo... ¿Por qué lo hiciste?

—No sé. Seguramente porque pensé que en ese momento sólo yo podía hacerlo. Pero no me des las gracias, no me ha costado nada.

—No importa lo que te haya costado, sino lo que suponía... ¿Sabes que la chica ha aprobado y va a seguir estudiando?

—Sí. Su padre me lo dijo ayer.

Parecía que ya no teníamos nada más que hablar, así que me despedí para marcharme.

No había terminado de dar la vuelta, cuando me detuvo.

—Espera. Voy contigo —me dijo.

Cogió uno de los tres jerseys que descansaban sobre el banco y echó a andar a mi lado.

Ibamos despacio y yo sentía pena de volver al pueblo... Javier se agachó junto al nogal y cogió dos nueces del suelo; las partió entre sus manos y luego me las entregó como distraído. Después, y mientras yo las comía, dio la espalda al prado y se recostó en la cerca. Yo lo imité. La casa quedaba ahora frente a nosotros, semioculta por los árboles que tenían el color del otoño. En el alto balcón, bajo el alero del tejado, colgaban grandes ristras de pimientos y judías verdes, puestos a secar.

—Es bonita tu casa —dije.

El la miró atentamente, como si se fijara en ella por primera vez, y sin dejar de mirarla me contestó:

—Sí, es bonita. Es bonita, pero está vacía.

Calló un momento y luego continuó:

—Desde aquel día de enero en que tú cerraste la puerta detrás de ti, me pesa la soledad. Y, ¿sabes?, cada día sueño que una mujer me acompaña, y esa mujer tiene tus ojos, y tu cuerpo, y tu voz, y tu pelo...

Me quedé tan sorprendida que los pedazos de nuez se me cayeron entre los dedos y me metí las manos en los bolsillos de mi chaqueta de paño azul, para que no viera que temblaban.

Que no siguiera, que no dijera nada más, recuerdo que pensaba. Me sentía avergonzada. No sabía adónde mirar.

—¡Cómo me gustas, Muriel!

No. Mejor, no; que siguiera hablando, que no terminara nunca, que yo le escuchaba enternecida y con el corazón saltando dentro de mí, queriendo gritar su alegría.

Y es que yo también soñaba... Soñaba que me decía esas cosas, pero pensaba que eran sólo eso: sueños.

—Yo te haría feliz, estoy seguro de que lo conseguiría. Juntos seríamos felices los dos, si tú también me quisieras...

Yo continuaba callada, mirando las hojas del suelo, un poco aturdida.

—¿No me dices nada? —me preguntó.

¡Ay, Señor! ¿Por qué siempre los más hermosos momentos de mi vida se me tenían que estropear? ¿Por qué aquellos instantes que yo hubiera querido eternizar tenían que acabar así?

—Te quiero —contesté precipitadamente, casi gritando, apartándome a la vez de la cerca.

—¿Qué pasa? ¿Adónde vas?

—Tengo miedo.

—¿Pero de qué?

—Hay una vaca enorme detrás de nosotros.

Se echó a reír.

—No. No hay una. Hay siete. Pero ¿por qué te asustas? ¿No te parece que deberías familiarizarte con el medio en que vives? ¿Por qué temer a los animales, que son nuestra ayuda, a veces hasta nuestro medio de vida? Anda, ven conmigo.

Abrió la cerca y entramos en el prado.

Sí. Allí había siete vacas. Se me antojaron amenazadoras, grandísimas, pero seguí dócilmente a Javier, que me había cogido del hombro con su brazo para animarme.

Se detuvo justo ante la más terrible. Sentí que se me erizaba el cabello.

—Mírala. ¿Te parece muy temible?

No contesté.

—Pues a mí me parece que no tiene intención de hacerte nada. ¿Recuerdas lo que pudo pasarte aquel día, sólo por tener miedo?

Yo, la verdad, prefería mucho más olvidarlo.

—Estas son *nuestras* vacas, Muriel. Y un día llegarás a conocerlas y las distinguirás de las otras, aunque ahora todas te parecen iguales. Mira, la que está con nosotros es *Paulina.* ¿No es un hermoso animal? Fíjate, parece que le gustas. Yo diría que hasta espera una caricia tuya.

Lentamente saqué la mano derecha del bolsillo y la acerqué a la frente de *Paulina.* La acaricié cerrando los ojos. Su piel era cálida y suave.

La mano de Javier continuaba sobre mi hombro y yo me sentía muy bien así.

—¿Ya no estás asustada?

—No. Nada.

—Entonces repítelo, pero despacio.

—No estoy asustada —dije lentamente, como si silabeara.

Se echó a reír.

—No, Muriel, eso no. Dime que me quieres. ¿O es que ha sido ilusión mía? Dímelo otra vez, pero mirándome, como lo haces cuando sueño.

Me volví hacia él. Tenía los ojos brillantes y me miraba como nunca nadie me había mirado jamás.

—Te quiero —repetí—. ¿Es que no lo notas cuando te miro?

No me pudo contestar. Alguien pasaba cerca de nosotros leyendo en un libro. Alguien que levantó distraídamente la cabeza para saludar, pero que, en lugar de hacerlo, exclamó a media voz con la mayor de las sorpresas:

—¡Rediez!

Y luego, en voz alta, como indiferente, añadió:

—¡Buenos días!

—¡Adiós! —contestamos nosotros.

Don José Mari siguió su paseo, pero aún se le pudo oír murmurar en voz baja:

—¡Rediez, rediez...!

Y hasta estuvo a punto de tropezar con una piedra del camino por tratar de mirar de reojo, como si quisiera convencerse de que efectivamente aquella pareja éramos nosotros.

—Creo que le ha asustado mucho verte conmigo. ¿Tan malo soy?

—Sólo le ha sorprendido. Creo que eres el único soltero del pueblo en quien no ha pensado para casarme.

—¿Y tú? ¿Te casarás conmigo?

—Sí.

—¿No te importa vivir siempre en un pueblo?

—Si es Beirechea, no.

—Muriel, Muriel... Me parece que yo no merezco tanto. ¿Es que Dios siempre da más de lo que recibe? A él le entregaron cinco panes y dos peces y dio de comer a cinco mil personas. Y San Juan nos dice que se saciaron y que, después, todavía recogieron doce cestos de pedazos... Yo pienso que eso mismo ha hecho con nosotros, porque también un día le dimos nuestros panes. Era poco, como tú decías, pero era todo lo que teníamos, y lo dimos. Tú generosamente, porque eres así. Yo, quizá, sólo porque te vi llorar...

Algo había ocurrido, algo maravilloso, porque Javier conocía muy bien ese pasaje del evangelio.

SU MANO cálida retenía la mía mientras paseábamos y yo escuchaba contenta sus proyectos.

Había trabajado con Joaquín Iparraguirre y habían tenido ocasión de hablar mucho y le había gustado hacerlo. ¿Sabía yo que ese hombre que siempre se había negado a vender o cambiar su viña, se la ofrecía ahora en las condiciones que él quisiera poner?

Estaban ahora pensando en unir sus fuerzas para el trabajo. Era extraño, pero Joaquín, sin que él pudiera explicarse por qué, tenía ahora las mismas ideas que él en lo referente a la concentración parcelaria, a la planificación del campo, a la comercialización directa de los productos. Incluso había hablado con otros vecinos del pueblo y creía que alguien más se uniría a ellos. Estaba contento y asombrado.

—Juraría que se expresaba leyendo mis pensamientos —dijo.

Yo bajé la cabeza y me miré pensativa los zapatos.

Joaquín Iparraguirre, lejos de mencionar sus maltrechos avellanos, había escuchado mis palabras, en las que yo vertía todas aquellas ideas de Javier, cuando reprochaba a los labradores su falta de arranque y de unión para hacer el campo más próspero.

Parece mentira..., ¡pero si yo no distinguía la veza de la alfalfa...!

No regresé a casa hasta la hora de cenar, ya que Javier y yo comimos juntos en la Venta. Entré cuando ya todos se habían sentado a la mesa. Pensé que don José Mari ya les habría contado nuestro encuentro, y que ahora empezarían las bromas, pero no fue así.

Se veía que el partido de pelota entre Txomin y Fermín haría historia. Yo los escuchaba distraída, comiendo la verdura y sin comprender cómo de un partido que había durado un par de horas se podía sacar tanto tema de conversación. Sólo se interrumpieron cuando Tomás pidió más pan y, después, cuando don José Mari me preguntó de sopetón los años que tenía.

—Pues, aunque aquí la afición me encuentre algo *esmirriada,* ya he cumplido los veintidós.

Tuve que explicar el porqué de *esmirriada,* y cuando aclaré que fue el primer comentario que sobre mí se hizo en la casa, comentario que yo oí desde mi habitación, Pello se quedó un poco avergonzado y casi, casi pensé que me iba a pedir perdón. Pero no lo hizo. Era demasiado tímido.

El cura, en cambio, se rió mucho.

—Son aldeanos —dijo bromista—. Les falta refinamiento. Para éstos, la mujer ha de ser recia y colorada.

Y entonces empezaron a hablar de que Santiago estaba haciendo casa nueva.

Sólo cuando ya me iba, don José Mari, dirigiéndose a todos, dijo:

—¿Sabéis que a nuestra Muriel ya no le asustan las vacas?

—Yo no estaría tan segura... —contesté sin ponerme colorada ni nada—. Me temo que a lo mejor sólo depende de la compañía...

Todavía me quedé unos instantes en la entrada, escuchando junto a la puerta de la cocina para ver si hacían algún otro comentario. Pero no. El partido era mucho más interesante.

Subí, pues, a mi habitación y abrí el balcón.

Pensé que allá lejos, detrás de aquellos árboles, Javier estaría ahora cenando solo, pero que un día no muy lejano yo iría a acompañarle y no nos separaríamos jamás.

Al día siguiente nos levantaríamos muy temprano. La *Viña,* abonada y bien preparada, nos esperaba, porque íbamos a sembrarla por primera vez y lo haríamos los dos juntos, y a voleo. Sembraríamos cebada con nuestras manos. Sí, cebada, porque de cebada eran los cinco panes que Cristo multiplicó y queríamos que esa tierra nos recordara siempre que todos tenemos algo que podemos dar, aunque ese algo sea tan sólo unos insignificantes panes de cebada.

El cielo estaba lleno de estrellas, la noche era hermosa y tranquila. Hasta mí llegaba amortiguada la música del txistu y del tamboril que sonaban en la plaza...

Un vientecillo juguetón me despeinó y lanzó un mechón de pelo sobre mi cara.

Aspiré hondo, profundamente extasiada.

Mi cabello tenía hoy el aroma de las semillas de hinojo, el olor del campo que tanto amaba.

Y me sentí feliz porque acababa de comprender que el pueblo me había aceptado, que yo formaba ya para siempre parte de él.